O VELHO E O MAR

ERNEST HEMINGWAY

O VELHO E O MAR

TRADUÇÃO
ROGÉRIO W. GALINDO

1ª edição

BERTRAND BRASIL
Rio de Janeiro | 2024

CIP-BRASIL. CATALOGAÇÃO NA PUBLICAÇÃO
SINDICATO NACIONAL DOS EDITORES DE LIVROS, RJ

H428v Hemingway, Ernest, 1899-1961
O velho e o mar / Ernest Hemingway ; tradução Rogério W. Galindo. - 1. ed. - Rio de Janeiro : Bertrand Brasil, 2024.

Tradução de: The old man and the sea
ISBN 978-65-5838-128-0

1. Ficção americana. I. Galindo, Rogério W. II. Título.

CDD: 813
24-93507 CDU: 82-3(73)

Meri Gleice Rodrigues de Souza - Bibliotecária - CRB-7/6439

Projeto gráfico de box, capa e miolo: Leonardo Iaccarino
Imagem de capa e miolo: Shutterstock

Texto revisado segundo o novo Acordo Ortográfico da Língua Portuguesa.

Impresso no Brasil

Ele era um velho que pescava sozinho num barco a remo na Corrente do Golfo e que estava oitenta e quatro dias sem pegar um peixe. Nos primeiros quarenta dias um menino ia com ele. Mas depois de quarenta dias sem um peixe sequer os pais do menino disseram que o velho estava definitiva e irremediavelmente *salao*, que é o pior tipo de azarado, e o menino, por ordem deles, foi para outro barco, que pegou três bons peixes na primeira semana. O menino ficava triste por ver o velho chegar todo dia com o barco vazio e sempre ia ajudar a carregar as cordas enroladas ou o gancho e o arpão e a vela, que embrulhava o mastro. A vela era remendada com sacos de farinha e, dobrada, parecia o estandarte da derrota permanente.

O velho era magro e descarnado, com vincos profundos na nuca. As manchas marrons do câncer de pele benigno que o sol causa ao se refletir no mar dos trópicos marcavam suas faces. As manchas se espalhavam pelas laterais do rosto, e as mãos tinham cicatrizes que eram sulcos fundos de tanto puxar peixes pesados com a linha. Porém nenhuma das cicatrizes era recente. Eram antigas como erosões num deserto sem peixes.

Tudo nele era velho, exceto os olhos, que tinham a cor do mar e eram alegres e não se deixavam abater.

— Santiago — disse o menino enquanto os dois escalavam o banco de areia de onde o barco fora puxado. — Eu podia voltar pro teu barco. A gente ganhou um dinheiro.

O velho pescador tinha ensinado o menino a pescar e o menino o adorava.

— Não — disse o velho. — Você está num barco de sorte. Fique com eles.

— Mas lembra que você ficou oitenta e sete dias sem peixe e depois a gente pegou peixe grande todo dia durante três semanas?

— Lembro — disse o velho. — Sei que você não me abandonou por duvidar.

— Foi o pai que me fez ir embora. Eu sou só um garoto e preciso obedecer.

— Eu sei — disse o velho. — É normal.

— Ele não tem muita fé.

— Não — disse o velho. — Mas a gente tem, não tem?

— Tem — disse o menino. — Posso te pagar uma cerveja no Terraço e depois a gente leva as coisas pra casa.

— Por que não? — disse o velho. — Entre pescadores.

Eles se sentaram no Terraço e vários pescadores tiraram sarro do velho e ele não ficou irritado. Outros, dos pescadores mais antigos, olharam para ele e ficaram tristes. Mas não demonstraram isso e falaram educadamente da corrente e das profundezas a que tinham lançado suas linhas e do tempo, que estava bom e firme, e do que tinham visto. Os pescadores bem-sucedidos do dia já estavam ali e tinham limpado seus marlins e carregado os peixes estendidos sobre duas tábuas, com dois homens cambaleando na ponta de cada uma delas, até a peixaria de onde o caminhão de gelo os levaria para o mercado em Havana. Os tubarões eram levados para a fábrica do outro lado da baía, onde eram içados com roldanas, tinham o fígado removido, as barbatanas extraídas e depois eram esfolados, a carne cortada em postas para salgar.

Quando o vento era leste, um cheiro chegava ao porto vindo da fábrica de processamento de tubarões; porém hoje só havia um leve resquício do odor porque o vento havia mudado para o norte e depois parado, e o Terraço estava agradável e ensolarado.

— Santiago — disse o menino.

— Sim — disse o velho.

Ele segurava seu copo e pensava num passado distante.

— Posso ir pegar sardinhas pra você amanhã?

— Não. Vá jogar beisebol. Ainda consigo remar e o Rogelio vai jogar a rede.

— Eu queria ir. Se não posso ir pescar com você, queria ajudar de algum jeito.

— Você me pagou uma cerveja — disse o velho. — Já é homem feito.

— Quantos anos eu tinha quando você me levou no barco pela primeira vez?

— Cinco, e você quase morreu quando puxei o peixe para dentro antes da hora e ele quase destruiu o barco. Lembra?

— Eu me lembro da cauda agitando e batendo e do banco quebrando e do barulho das pancadas. Lembro de você me jogando para a proa onde as cordas encharcadas estavam enroladas e de sentir o barco inteiro tremer e do barulho de você batendo nele como se estivesse derrubando uma árvore e do cheiro doce do sangue espalhado pelo meu corpo.

— Você se lembra de tudo isso mesmo ou fui eu que te contei?

— Eu me lembro de tudo desde a primeira vez que a gente saiu pra pescar juntos.

O velho olhou para ele com seus ternos e confiantes olhos queimados pelo sol.

— Se você fosse meu filho, eu levava você e arriscava — disse ele. — Mas você tem pai e mãe e está num barco que anda tendo sorte.

— Posso pegar as sardinhas? Sei onde arranjar quatro iscas também.

— Tenho as minhas que sobraram de hoje, coloquei no sal na caixa.

— Deixa eu pegar quatro frescas pra você.

— Uma — disse o velho.

Ele nunca perdeu a esperança nem a confiança. Mas agora elas estavam se revigorando como quando a brisa sopra.

— Duas — disse o menino.

— Duas — concordou o velho. — Você não roubou essas?

— Até roubaria — disse o menino. — Mas essas eu comprei.

— Obrigado — disse o velho.

Ele era simples demais para se perguntar quando tinha se tornado humilde. Mas sabia que tinha se tornado e sabia que isso não era vergonha e que não significava a perda do orgulho verdadeiro.

— Amanhã vai ser um dia bom com essa corrente — disse ele.

— Pra onde você vai? — perguntou o menino.

— Bem longe, para voltar quando o vento mudar de direção. Quero sair antes de clarear.

— Vou tentar fazer ele ir pra fora da baía também — disse o menino. — Daí se você pegar alguma coisa realmente grande, a gente pode ir te ajudar.

— Ele não gosta de ir pra fora da baía.

— Não mesmo — disse o menino. — Mas vou ver alguma coisa que ele não consegue ver, tipo um pássaro agitado, e fazer ele ir atrás de um dourado.

— Ele enxerga tão mal assim?

— É quase cego.

— Estranho — disse o velho. — Ele nunca caçou tartaruga. É isso que estraga os olhos.

— Mas você caçou tartaruga por anos na Costa do Mosquito e teus olhos são bons.

— Eu sou um velho estranho.

— Mas você tem força pra um peixe realmente grande?

— Acho que sim. E existem vários truques.

— Vamos levar as coisas pra casa — disse o menino. — Aí eu posso pegar a rede pra ir atrás das sardinhas.

Eles pegaram o equipamento do barco. O velho carregou o mastro no ombro e o menino levou a caixa de madeira com as linhas enroladas e emaranhadas, o gancho e o arpão com seu cabo. A caixa com as iscas estava na parte de baixo da popa junto com o porrete que era usado para dominar os peixes grandes quando eram levados para o barco. Ninguém ia roubar do velho, mas era melhor levar a vela e as cordas pesadas para casa já que o orvalho danificava tudo e, embora ele tivesse quase certeza de que ninguém da região fosse roubar dele, o velho achava que um gancho e um arpão eram tentações desnecessárias para deixar num barco.

Eles foram juntos até a cabana do velho e entraram pela porta aberta. O velho apoiou o mastro com a vela enrolada na parede, e o menino colocou a caixa e os outros equipamentos do lado. O mastro era quase do tamanho do único cômodo da casa. A cabana era feita de ramos da palmeira-real a que eles dão o nome de *guano*, e nela havia uma cama, uma mesa, uma cadeira e um lugar no chão de terra para cozinhar com carvão. Nas paredes marrons feitas com folhas achatadas e sobrepostas dessa palmeira, com suas fibras resistentes, havia uma imagem colorida do Sagrado Coração de Jesus e outra da Virgem do Cobre. Eram relíquias da mulher. Em outros tempos tinha uma foto colorizada dela na parede, mas ele tirou de lá porque só de olhar já se sentia solitário, e agora o retrato estava na prateleira no canto, debaixo da camisa limpa.

— O que você tem pra comer? — perguntou o menino.

— Uma panela de arroz amarelo com peixe. Quer um pouco?

— Não. Vou comer em casa. Quer que eu faça o fogo?

— Não, faço mais tarde. Ou então como o arroz frio.

— Posso pegar a rede?

— Claro.

Não havia rede e o menino se lembrava de quando a venderam. Mas eles passavam por essa ficção todos os dias. Não havia panela de arroz amarelo com peixe e o menino sabia disso também.

— Oitenta e cinco é um número de sorte — disse o velho. — O que você ia achar se me visse chegando com um peixe morto com mais de quinhentos quilos?

— Vou pegar a rede e pescar as sardinhas. Você vai sentar ao sol lá na porta?

— Vou. Tenho o jornal de ontem e vou ler as notícias de beisebol.

O menino não sabia se o jornal de ontem também era ficção. Mas o velho pegou o jornal debaixo da cama.

— O Perico me deu na bodega — explicou ele.

— Volto quando conseguir as sardinhas. Deixo as tuas e as minhas juntas no gelo e a gente divide de manhã. Quando eu voltar você me conta do beisebol.

— Os Yankees não podem perder.

— Mas eu tenho medo dos Indians de Cleveland.

— Tenha fé nos Yankees, meu filho. Pense no grande DiMaggio.

— Eu tenho medo dos Tigers de Detroit e dos Indians de Cleveland.

— Cuidado, ou você vai acabar com medo dos Reds de Cincinnati e dos White Sox de Chicago também.

— Dê uma lida e me conte quando eu voltar.

— Você acha que a gente devia comprar um bilhete de loteria com o oitenta e cinco? Amanhã é o dia oitenta e cinco.

— Podemos — disse o menino. — Mas e o oitenta e sete do teu grande recorde?

— Não tem como acontecer duas vezes. Você acha que consegue encontrar um oitenta e cinco?

— Posso pedir esse.

— Um bilhete. São dois dólares e cinquenta centavos. De quem a gente podia emprestar?

— Isso é fácil. Eu tenho como pedir dois dólares e cinquenta.

— Talvez eu consiga também. Mas vou tentar não pedir. Você começa pedindo emprestado. Depois acaba mendigando.

— Se esquente, velho — disse o menino. — Lembre que a gente está em setembro.

— O mês em que os grandes peixes vêm — disse o velho. — Qualquer um pode ser pescador em maio.

— Agora eu vou pegar as sardinhas — disse o menino.

Quando o menino voltou, o velho estava dormindo na cadeira e o sol tinha baixado. O menino pegou o antigo cobertor de campanha da cama e o jogou nas costas da cadeira e por cima dos ombros do velho. Eram ombros estranhos, ainda fortes apesar de muito velhos, e o pescoço também preservava a força, e os vincos não apareciam tanto quando o velho estava dormindo e a cabeça pendia para a frente. A camisa tinha sido remendada tantas vezes que era como a vela, e os remendos tinham desbotado para muitos tons diferentes sob o sol. Mas a cabeça do velho era muito velha, e com os olhos fechados não havia vida no rosto dele. O jornal estava caído sobre os joelhos e o peso dos braços o segurava ali contra a brisa da tarde. Ele estava descalço.

O menino saiu e, quando voltou, o velho continuava dormindo.

— Acorda, velho — disse o menino e pôs a mão sobre um dos joelhos do velho.

O velho abriu os olhos e, por um instante, estava voltando de muito longe. Depois sorriu.

— O que você trouxe? — perguntou ele.

— Janta — disse o menino. — A gente vai jantar.

— Não estou com muita fome.

— Pare com isso e venha comer logo. Você não pode pescar e depois não comer.

— Já comi — disse o velho levantando e pegando o jornal e dobrando. Depois começou a dobrar o cobertor.

— Fique enrolado no cobertor — disse o menino. — Você não vai sair pra pescar sem comer enquanto eu estiver vivo.

— Então viva muito tempo e se cuide — disse o velho. — O que a gente vai comer?

— Feijão-preto e arroz, banana frita e um pouco de ensopado.

O menino tinha trazido tudo num recipiente metálico de dois andares do Terraço. Os dois conjuntos de faca, garfo e colher estavam no bolso dele com um guardanapo de papel envolvendo cada um.

— Quem te deu isso?

— Martin. O dono.

— Preciso agradecer.

— Já agradeci — disse o menino. — Você não precisa agradecer.

— Vou dar a carne da barriga de um peixe grande pra ele — disse o velho. — Ele já fez isso pra gente outras vezes?

— Já.

— Então tenho que dar alguma coisa melhor do que a carne da barriga. Ele tem muita consideração pela gente.

— Ele mandou duas cervejas.

— Gosto mais de cerveja em lata.

— Eu sei. Mas essa é de garrafa. Hatuey, e eu levo os cascos de volta.

— Muita gentileza tua — disse o velho. — Vamos comer?

— Eu que estava te perguntando — disse o menino com delicadeza. — Não quis abrir antes de você estar pronto.

— Estou pronto — disse o velho. — Só precisava de um tempo pra me lavar.

Onde você se lavou?, o menino pensou. O único lugar onde havia água limpa na vila ficava a duas ruas dali. Preciso trazer água pra ele, o menino pensou, e sabonete e uma toalha boa. Por que eu sou tão desatencioso? Tenho que conseguir outra camisa pra ele e um casaco pro inverno, e algum calçado e mais um cobertor.

— Teu ensopado está excelente — disse o velho.

— Me conta do beisebol — pediu o menino.

— Na Liga Americana os Yankees ganharam, como falei — disse o velho feliz.

— Eles perderam hoje — contou o menino.

— Isso não quer dizer nada. O grande DiMaggio voltou à forma.

— Tem outros jogadores no time.

— Lógico. Mas ele faz a diferença. Na outra Liga, entre Brooklyn e Philadelphia, eu prefiro o Brooklyn. Mas aí penso no Dick Sisler e naquelas rebatidas no antigo estádio.

— Nada se compara. Ele rebate as bolas mais longas que já vi.

— Lembra quando ele vinha no Terraço? Eu queria levar ele pra pescar, mas era muito tímido pra fazer o convite. Aí pedi pra você convidar e você era tímido demais.

— Eu sei. Foi um grande erro. Talvez ele tivesse ido com a gente. Aí a gente ia guardar essa memória pra sempre.

— Eu gostaria de levar o grande DiMaggio para pescar — falou o velho. — Dizem que o pai dele era pescador. Talvez ele fosse tão pobre quanto a gente e conseguisse entender.

— O pai do grande Sisler nunca foi pobre, e ele, o pai, jogava na Grande Liga quando tinha a minha idade.

— Quando eu tinha a tua idade trabalhei num veleiro que ia pra África e vi leões na praia de noite.

— Eu sei. Você contou.

— Você quer conversar sobre a África ou sobre beisebol?

— Beisebol, acho — disse o menino. — Me conte do grande John J. McGraw. — Ele pronunciou um *jota* em espanhol na hora do J.

— Ele também frequentava o Terraço antigamente. Mas era rude e falava grosso e dava trabalho quando bebia. Gostava de cavalos, além de beisebol. Pelo menos ele tinha sempre listas com nomes de cavalos no bolso e estava sempre falando nomes de cavalos no telefone.

— Era um bom empresário — disse o menino. — Meu pai acha que foi o melhor.

— Porque ele veio aqui mais vezes — disse o velho. — Se o Durocher tivesse continuado a aparecer aqui todo ano, o teu pai ia achar que ele foi o melhor empresário.

— Quem é o melhor empresário, de verdade, Luque ou Mike Gonzalez?

— Acho que estão no mesmo nível.

— E o melhor pescador é você.

— Não. Conheço outros melhores.

— *Qué va* — disse o menino. — Tem muito pescador bom e tem uns excelentes. Mas ninguém como você.

— Obrigado. Você me deixa feliz. Espero que não apareça nenhum peixe tão grande que prove que a gente está errado.

— Não existe peixe assim se você continua forte como diz.

— Posso não estar tão forte quanto acho que estou — disse o velho. — Mas conheço muitos truques e sou determinado.

— Você tem que ir pra cama agora para estar descansado de manhã. Eu levo as coisas de volta pro Terraço.

— Boa noite então. Eu te acordo de manhã.

— Você é o meu despertador — disse o menino.

— A idade é o meu despertador — disse o velho. — Por que os velhos acordam tão cedo? Será que é para o dia durar mais?

— Não sei — disse o menino. — Só sei que os jovens dormem tarde e têm o sono pesado.

— Lembro como era — disse o velho. — Eu te acordo na hora.

— Não gosto que ele me acorde. É como se eu fosse inferior.

— Eu sei.

— Dorme bem, velho.

O menino saiu. Os dois tinham comido sem luz na mesa e o velho tirou as calças e foi para a cama no escuro. Ele dobrou as calças para fazer um travesseiro, colocando o jornal dentro. Se enrolou no cobertor e dormiu sobre os outros jornais velhos que cobriam as molas da cama.

Não demorou a pegar no sono e sonhou com a África de quando ele era menino e com as extensas praias douradas e com as praias brancas, tão brancas que feriam os olhos, e com os promontórios altos e com as grandes montanhas marrons. Ele vivia ao longo da costa toda noite agora, e nos sonhos ouvia o troar das ondas e via os barcos locais chegando com elas. Sentia o cheiro do alcatrão e da estopa do convés enquanto dormia e o cheiro da África que a brisa do continente trazia pela manhã.

Geralmente, ao sentir o cheiro da brisa do continente, ele se levantava e se vestia para ir acordar o menino. Mas hoje o cheiro da brisa do continente chegou bem cedo e ele sabia que o sonho ainda estava no começo e continuou sonhando para ver os picos brancos das ilhas emergindo do mar e depois sonhou com os diferentes portos e enseadas das Ilhas Canárias.

Ele já não sonhava com tempestades, nem com mulheres, nem com grandes acontecimentos, nem com grandes peixes, nem com lutas, nem com competições de força, nem com a esposa. Agora sonhava apenas com lugares e com os leões na praia. Eles brincavam como filhotes de gato no crepúsculo e ele adorava os leões da mesma maneira que adorava o menino. Ele jamais sonhava com o menino. Simplesmente acordava, olhava pela porta aberta para a lua e desdobrava as calças e as vestia. Urinava fora da cabana e depois seguia pela rua para acordar o menino. O frio da manhã o fazia tremer. Mas ele sabia que tremendo ia se aquecer e que logo estaria remando.

A porta da casa onde o menino morava estava destrancada, e ele abriu e entrou sem fazer barulho com os pés descalços. O menino dormia numa cama de campanha no primeiro cômodo e o velho conseguia vê-lo com clareza sob a luz que vinha da lua moribunda. Ele segurou um dos pés com cuidado e só soltou quando o menino acordou e se virou e olhou para ele. O velho acenou com a cabeça e o menino pegou as calças da cadeira ao lado da cama e, sentado na cama, se vestiu.

O velho saiu pela porta e o menino foi logo atrás. Ele estava sonolento e o velho colocou o braço em seus ombros e disse:

— Perdão.

— *Qué va* — disse o menino. — É isso que um homem deve fazer.

Eles foram andando pela rua até a cabana do velho e, ao longo de todo o caminho, no escuro, homens descalços se deslocavam, carregando os mastros de seus barcos.

Quando chegaram à cabana do velho, o menino pegou os rolos de corda no cesto e o arpão e o gancho e o velho carregou o mastro com a vela enrolada no ombro.

— Quer café? — perguntou o menino.

— Vamos colocar as coisas no barco e depois a gente toma.

Eles tomaram café em latas de leite condensado num lugar que abria cedo para atender os pescadores.

— Dormiu bem, velho? — perguntou o menino. Ele estava acordando agora, embora ainda fosse difícil abandonar o sono.

— Dormi muito bem, Manolin — disse o velho. — Estou confiante hoje.

— Eu também — disse o menino. — Agora preciso pegar tuas sardinhas e as minhas e tuas iscas frescas. Ele mesmo traz o nosso equipamento. Nunca quer que ninguém carregue nada.

— Nós somos diferentes — disse o velho. — Eu deixava você carregar as coisas quando tinha cinco anos.

— Eu sei — disse o menino. — Já volto. Tome mais um café. A gente tem crédito aqui.

Ele saiu, descalço sobre as pedras de coral, e foi até a casa onde armazenavam o gelo para pegar as iscas que estavam guardadas.

O velho tomou o café devagar. Era a única refeição que ia fazer durante o dia e sabia que precisava desse café. Fazia tempo que comer tinha se tornado um tédio para ele, e nunca levava almoço. Deixava uma garrafa de água na proa do barco e essa era a única coisa de que precisava para o dia.

O menino tinha voltado com as sardinhas e as duas iscas enroladas num jornal e os dois desceram a trilha até o barco, sentindo a areia com pedrinhas debaixo dos pés, ergueram o barco e o puseram na água.

— Boa sorte, velho.

— Boa sorte — disse o velho.

Ele prendeu a corda de amarração dos remos nos encaixes e, inclinando-se para a frente contra o impulso das pás na água, começou a remar para fora do porto em meio à escuridão. Havia outros barcos saindo das outras praias para o mar, e o velho ouvia seus remos mergulhando e se movendo na água, ainda que não conseguisse vê-los agora que a lua estava atrás das colinas.

Às vezes alguém falava num dos barcos. Mas quase todos eram silenciosos, exceto pelo mergulho dos remos. Eles se espalharam depois de passar pela boca do porto e cada um se dirigiu para a parte do oceano onde esperava encontrar peixes. O velho sabia que ia longe e deixou o cheiro da terra para trás e remou rumo ao aroma da manhã límpida do oceano. Ele viu a fosforescência das algas do Golfo na água enquanto remava sobre o trecho do oceano que os pescadores chamavam de grande poço por haver um aprofundamento súbito de setecentas braças onde se reuniam todos os tipos de peixe em função do turbilhão produzido pela corrente contra as paredes íngremes do leito oceânico. Ali havia concentrações de camarões e de peixes pequenos usados para isca e, por vezes, bandos de lulas nos buracos mais fundos, e elas se aproximavam da superfície à noite onde todos os peixes que vagavam por ali se alimentavam delas.

No escuro, o velho sentia a chegada da manhã e, enquanto remava, ouvia o som vibrante dos peixes-voadores saindo da água e o zumbido que suas asas rígidas faziam ao alçar voo na escuridão. Ele gostava bastante dos peixes-voadores, que eram seus melhores amigos no oceano. Lamentava pelos pássaros, especialmente as pequenas andorinhas escuras que estavam sempre voando e procurando e quase nunca encontravam, e pensava, os pássaros têm uma vida mais difícil que a nossa, tirando os que roubavam comida e os grandes pássaros pesados. Por que fizeram pássaros tão delicados como aquelas andorinhas-do-mar se o oceano podia ser tão cruel? O mar é gentil e muito bonito. Mas pode ser cruel e avança tão de repente, e esses pássaros que voam, mergulhando e caçando, com suas vozes miúdas e tristes, são delicados demais para o mar.

Ele sempre pensou no oceano como *la mar*, que é como as pessoas dizem em espanhol quando o amam, no feminino. Às vezes aqueles que amam o mar dizem coisas ruins dele, mas essas coisas sempre são ditas como se estivessem falando de uma mulher.

Alguns dos pescadores mais jovens, esses que usavam boias para manter suas linhas à tona e tinham barcos a motor, comprados quando o fígado de tubarão dava muito dinheiro, falavam do mar como *el mar*, no masculino. Falavam dele como um concorrente, ou um lugar, ou mesmo como um inimigo. Mas o velho sempre pensou no mar como feminino e como algo que concedia ou negava grandes favores, e se o oceano fazia coisas loucas ou más era porque não tinha como evitar. A lua afeta o mar como afeta uma mulher, ele pensava.

O velho estava remando com firmeza e não era esforço para ele, já que se mantinha dentro de sua velocidade e a superfície do oceano estava calma, exceto pelos turbilhões ocasionais da corrente. Ele estava deixando que a corrente fizesse um terço do trabalho, e quando começou a clarear ele viu que já estava mais longe do que esperava estar a essa hora.

Concentrei meus esforços nos poços profundos por uma semana e não consegui nada, pensou. Hoje vou para longe onde ficam os cardumes de bonito e de albacora e pode ser que tenha algum peixe grande com eles.

Antes de o céu todo clarear, ele já estava com as iscas na água e se deixava levar pela corrente. Uma das iscas estava a quarenta braças de profundidade. A segunda estava a setenta e cinco braças e a terceira e a quarta tinham descido cem e cento e vinte braças na água azul. As iscas ficavam de ponta-cabeça com a haste do anzol dentro do peixe que servia de isca, amarradas e costuradas com força, e toda a parte do anzol que se projetava, a curva e a ponta, ficava coberta com sardinhas frescas. O anzol trespassava as sardinhas pelos dois olhos, e, com isso, elas formavam uma meia grinalda no aço saliente. Não havia parte do anzol que um grande peixe pudesse sentir e que não tivesse um aroma doce e um gosto bom.

O menino dera a ele dois pequenos atuns frescos, ou albacoras, que estavam nas duas linhas mais profundas como se fossem prumos, e, nas outras linhas, ele colocou um solteiro e um xaréu-amarelo que já tinham sido usados, mas estavam em boas condições e tinham as excelentes sardinhas para lhe dar perfume e atratividade. Cada linha, da grossura de um lápis grande, estava enrolada num graveto recém-tirado da árvore para que qualquer puxão ou toque na isca fizesse o graveto afundar, e cada linha tinha dois rolos de quarenta braças que podiam ser amarrados aos outros rolos reserva de modo que, caso fosse necessário, um peixe poderia tomar trezentas braças de linha.

Agora o homem viu o mergulho dos três gravetos por cima da amurada do barco e remou com cuidado para manter as linhas na vertical e nas suas devidas profundidades. O céu estava bem claro e a qualquer momento o sol ia nascer.

O sol se elevou sutilmente do mar e o velho conseguiu ver os outros barcos, baixos na água e bem mais próximos da praia, espalhados ao longo da corrente. Então o sol ficou mais brilhante e o clarão veio sobre a água e depois, à medida que clareava mais, o mar liso passou a refletir os raios nos olhos dele, o que causava uma dor forte, e ele remava sem olhar para a frente. Ele olhou para a água e viu as linhas que seguiam retas para baixo entrando na escuridão do mar. Ele as mantinha mais retas do que qualquer outro, de modo que em cada nível na escuridão da corrente haveria uma isca à espera exatamente onde ele desejava que ela estivesse para qualquer peixe que nadasse por ali. Outros deixavam que as linhas fossem levadas pela corrente e por vezes elas estavam a sessenta braças quando os pescadores achavam que estavam a cem.

Eu as mantenho no lugar certo, ele pensou. Só que não tenho tido sorte. Mas quem sabe? Talvez hoje. Cada dia é um novo dia. Ter sorte é melhor. Mas prefiro ser preciso. Aí, quando a sorte vem, você está preparado.

O sol estava duas horas mais alto e já não doía tanto olhar para leste. Só havia três barcos à vista e eles estavam muito baixos e bem mais próximos da praia.

A minha vida toda, o sol da manhã fez doer meus olhos, pensou. E, no entanto, eles continuam bons. À tarde consigo olhar direto para o sol sem ver tudo preto. Ele é mais forte à tarde também. Mas de manhã dói mais.

Bem nesse momento ele viu uma fragata com suas longas asas pretas voando em círculos no céu adiante. O pássaro fez uma descida rápida, inclinando-se com as asas postas para trás, e depois voltou a voar em círculos.

— Ele viu alguma coisa — disse o velho em alto e bom som. — Não está só olhando.

O velho remou devagar e sempre em direção ao lugar que o pássaro sobrevoava. Ele não se apressou e manteve as linhas na vertical. Mas se aproximou um pouco da corrente para continuar pescando corretamente, embora mais rápido do que se não estivesse tentando usar o pássaro.

O pássaro subiu mais e voltou a voar em círculos, as asas imóveis. Então mergulhou de repente e o velho viu saltar da água e navegar desesperados sobre a superfície peixes-voadores.

— Dourado — falou sozinho de novo. — Um dourado-do-mar dos grandes.

Ele colocou os remos no barco e puxou uma pequena linha que estava sob a proa. Havia nela uma linha mais grossa que servia como condutora e um anzol de tamanho médio, e ele colocou uma das sardinhas como isca. A linha foi lançada na água e então ele a prendeu num parafuso com um anel na extremidade na popa. Depois colocou isca em mais uma linha e a deixou enrolada sob a proa. Ele voltou a remar e a observar o pássaro preto de asas longas que agora atuava mais perto da água.

Enquanto ele observava, o pássaro mergulhou de novo, inclinando as asas para a descida e depois as agitando de um modo descontrolado e ineficaz enquanto seguia os peixes-voadores. O velho viu a leve protuberância que os grandes dourados-do-mar causaram na água enquanto seguiam os peixes em fuga. Os dourados cortavam a água abaixo do voo dos peixes e estariam na água, em alta velocidade, quando os peixes caíssem. É um grande cardume de dourados, pensou. Estão bem espalhados e os peixes-voadores não têm muita chance. O pássaro não tem chance. Os peixes-voadores são grandes demais para ele e vão rápido demais.

Ele viu eclodir os peixes-voadores vez após vez e viu os movimentos ineficazes do pássaro. Aquele cardume me escapou, pensou. Estão indo rápido demais e para muito longe. Mas pode ser que eu pegue algum desgarrado e que meu peixe grande esteja perto deles. Meu peixe grande deve estar em algum lugar.

As nuvens sobre a terra se elevavam como montanhas e a costa era apenas uma longa linha verde tendo as grandes colinas arroxeadas por trás. A água agora era de um azul-escuro tão profundo que quase chegava a ser roxo. Ao olhar para baixo ele viu a ciranda vermelha do plâncton na água escura e a luz estranha que o sol produzia. Ele verificou as linhas para garantir que estivessem na horizontal até desaparecerem na água e ficou feliz por ver tanto plâncton, pois isso significava que havia peixes. A estranha luz que o sol lançava na água, agora que estava mais alto, indicava bom tempo, assim como o formato das nuvens sobre a terra. Mas o pássaro já estava quase fora do campo de visão e não havia nada para ver na superfície da água além de alguns trechos de sargaço amarelo, tingido pelo sol, e da bexiga violeta, formal, iridescente, gelatinosa de uma caravela que flutuava ao lado do barco. Ela se virou de lado e depois voltou à posição normal. E flutuava alegre como se fosse uma bolha com seus longos e mortais filamentos roxos se arrastando por um metro atrás de si pela água.

— *Agua mala* — disse o velho. — Sua puta.

Do lugar onde se balançava, levemente apoiado nos remos, ele olhou para a água e viu os minúsculos peixes, que eram coloridos como os filamentos que se arrastavam e que nadavam entre eles e sob a pequena sombra que a bolha fazia enquanto seguia à deriva. Eles eram imunes ao veneno. Mas os homens não, e quando alguns filamentos se prendiam a uma linha e ficavam ali, pegajosos e roxos, enquanto o velho lutava contra um peixe, ficava com vergões e feridas nos braços e nas mãos, semelhantes aos causados pela hera venenosa e pelo carvalho venenoso. Mas esses envenenamentos da *agua mala* vinham rápido e golpeavam como um chicote.

As bolhas iridescentes eram bonitas. Mas eram as coisas mais enganosas do mar, e o velho adorava ver as grandes tartarugas-marinhas se alimentando delas. As tartarugas viam as caravelas, se aproximavam pela frente, depois fechavam os olhos para que eles ficassem por trás de uma carapaça e então comiam tudo, inclusive os filamentos. O velho adorava ver as tartarugas se alimentando das caravelas e adorava andar sobre elas na praia depois de uma tempestade e ouvi-las estourar quando pisava com as solas calejadas de seus pés.

Ele adorava tartarugas-verdes e tartarugas-de-pente com sua elegância e rapidez e seu grande valor, e sentia um desprezo amistoso pelas imensas e estúpidas tartarugas-marinhas comuns com sua carapaça amarela, que faziam amor de um jeito estranho e comiam felizes as caravelas de olhos fechados.

Ele não nutria nenhum misticismo por tartarugas, embora tivesse estado em barcos de caça a elas por muitos anos. Todas lhe davam pena, mesmo as grandes tartarugas-de-couro que eram compridas como o barco e pesavam uma tonelada. A maioria das pessoas não sentia pena das tartarugas porque o coração delas continuava batendo por horas depois de ter sido extraído e limpo. Mas o velho pensava, eu tenho um coração assim também, e meus pés e minhas mãos são parecidos com os delas. Ele comia os ovos brancos para que lhe dessem força. Ele os comia durante o mês de maio inteiro para estar forte em setembro e outubro para os peixes realmente grandes.

Ele também tomava uma xícara de óleo de fígado de tubarão todos os dias do grande barril na cabana onde vários dos pescadores deixavam seus equipamentos. O óleo ficava lá para todos os pescadores que quisessem. A maioria deles detestava o gosto. Mas não era pior do que levantar à hora em que acordavam e era muito bom contra resfriados e gripes e bom para os olhos.

O velho olhou para cima e viu que o pássaro voava em círculos de novo.

— Ele encontrou peixe — disse o velho.

Nenhum peixe-voador saltou e não houve dispersão de peixes pequenos. Mas, enquanto o velho observava, um pequeno atum surgiu no ar, virou e caiu de cabeça na água. O atum brilhou prateado ao sol e, depois de ter caído, outro saltou, e depois mais um, e eles estavam pulando em todas as direções, agitando a água e dando longos saltos atrás dos peixes menores. Eles circundavam suas presas e as espantavam.

Se eles não forem rápidos demais, eu consigo alcançar, o velho pensou, e viu o cardume agitar a água tornando-a branca e viu o pássaro que agora descia e mergulhava sobre os peixes menores que eram forçados em seu pânico a ir rumo à superfície.

— O pássaro ajuda muito — disse o velho.

Bem nesse momento a linha da popa ficou tensa sob o pé dele, no ponto em que tinha deixado um laço na linha, então largou os remos e sentiu o peso do pequeno atum puxando trêmulo enquanto segurava a linha com firmeza e começava a recolhê-la. O tremor aumentou à medida que ele puxava, e conseguiu ver o dorso azul do peixe na água e o dourado de seus flancos antes de puxá-lo por cima da amurada para dentro do barco. O peixe ficou na popa sob o sol, compacto e em forma de projétil, seus grandes olhos embotados encarando enquanto deixava a vida escapar a cada pancada que dava contra as tábuas do barco com batidas rápidas da cauda elegante e veloz. O velho golpeou a cabeça dele por bondade e o chutou, o corpo ainda trêmulo, para baixo da proteção da proa.

— Albacora — disse ele. — Vai dar uma baita isca. Deve pesar uns cinco quilos.

Ele não lembrava quando foi que começou a falar sozinho. Antigamente quando ficava só, ele cantava, e às vezes cantava à noite também, em seu turno solitário guiando as sumacas ou nos barcos de caça às tartarugas. Provavelmente passou a falar em voz alta, sozinho, quando o menino foi embora. Mas não lembrava direito. Quando ele e o menino pescavam juntos, os dois geralmente só falavam se houvesse necessidade. Eles conversavam à noite ou quando o tempo ruim os impedia de trabalhar. Não falar sem necessidade era considerado uma virtude no mar, e o velho sempre pensou assim e respeitava essa regra. Mas agora expressava seus pensamentos em voz alta muitas vezes, já que não havia ninguém que pudesse se incomodar com eles.

— Se me ouvissem falando sozinho os outros iam achar que estou doido — disse ele. — Mas como não estou doido, não ligo. E os ricos têm rádios para falar com eles no barco e para contar do beisebol.

Agora não é hora de pensar em beisebol, ele refletiu. É hora de pensar só numa coisa. Aquilo pra que eu nasci. Pode ter um peixe grande em volta daquele cardume, ele pensou. Só peguei um albacora que ficou pra trás enquanto eles comiam. Mas estão indo para longe e rápido. Tudo que aparece na superfície hoje nada rápido e rumo a nordeste. Será que é a hora do dia? Ou será algum sinal de mudança de clima que eu não conheço?

Não dava mais para ver o verde da costa, só o topo das colinas azuis que pareciam brancas como se estivessem cobertas de neve e as nuvens que pareciam grandes montanhas nevadas acima delas. O mar estava muito escuro e a luz criava prismas na água. A miríade de manchas do plâncton era anulada pelo sol alto e os grandes e profundos prismas na água azul eram tudo que o velho via com suas linhas verticais descendo na água que tinha um quilômetro e meio de profundidade.

Os atuns, os pescadores chamavam todos os peixes daquela espécie de atum e só distinguiam seus nomes quando iam vendê-los ou trocá-los por iscas, tinham voltado a descer. O sol estava quente e o velho o sentiu na nuca e sentiu o suor escorrer pelas costas ao remar.

Eu podia simplesmente deixar a corrente me levar, ele pensou, e dormir e colocar um laço de linha no dedão do pé para me acordar. Mas hoje faz oitenta e cinco dias e a pesca deve ser boa. Bem naquele momento, observando as linhas, ele viu um dos gravetos mergulhar bruscamente.

— Isso — disse ele. — Isso.

E colocou os remos para dentro do barco sem solavancos. O velho pegou a linha e a segurou de leve entre o polegar e o indicador da mão direita. Não havia tensão nem peso, e ele segurou a linha com delicadeza. E então veio outro. Dessa vez foi um puxão hesitante, nem firme nem forte, e ele soube exatamente o que era. Cem braças abaixo, um marlim comia as sardinhas que cobriam a ponta e a haste do anzol no ponto em que o anzol forjado à mão se projetava da cabeça do pequeno atum.

O velho segurou a linha com delicadeza e, suavemente, com a mão esquerda, liberou-a do graveto. Agora ele podia deixá-la correr pelos dedos sem que o peixe sentisse a mínima tensão.

A essa distância da praia, o peixe deve estar enorme nessa época do ano, ele pensou. Coma, peixe. Coma. Por favor, coma. Elas estão tão frescas e você aí a duzentos metros de profundidade nessa água fria no escuro. Faça mais uma volta e volte para comer.

Ele sentiu o puxão leve e delicado e depois um puxão mais forte quando o peixe deve ter tido mais dificuldade para tirar a cabeça de uma sardinha do anzol. Depois, não sentiu mais nada.

— Vamos — disse o velho. — Faça mais uma volta. Só sinta o cheiro delas. Não estão gostosas? Coma as sardinhas agora e depois tem o atum. Duro e frio e delicioso. Não seja tímido, peixe. Coma.

Ele esperou com a linha entre o polegar e o indicador, observando aquela e as duas outras linhas ao mesmo tempo porque o peixe poderia ter subido ou descido. Depois veio mais uma vez aquele puxão delicado.

— Ele vai morder — disse o velho. — Deus faça com que ele morda.

Mas o peixe não mordeu. Ele foi embora e o velho não sentiu nada.

— Ele não pode ter ido embora — falou. — Cristo sabe que ele não pode ter ido embora. Está fazendo uma volta. Pode ser que já tenha sido fisgado antes e tenha alguma lembrança disso.

Então ele sentiu o leve toque na linha e ficou feliz.

— Só estava virando — disse o velho. — Ele vai morder.

O velho estava feliz sentindo o puxão suave e depois sentiu algo duro e inacreditavelmente pesado. Era o peso do peixe, e ele deixou a linha deslizar para baixo, deslizar, deslizar, desenrolando o primeiro dos dois rolos extras. Enquanto a linha descia, deslizando fácil pelos dedos do velho, ele continuava sentindo o peso enorme, embora a pressão do polegar e do indicador fosse quase imperceptível.

— Que peixe — disse ele. — Está com a isca de lado na boca e indo embora com ela.

Depois vai se virar e engolir, ele pensou. O velho não disse isso porque sabia que se você falasse alguma coisa boa, aquilo poderia não acontecer. Ele sabia como esse peixe era imenso e pensou nele se afastando na escuridão com o atum preso atravessado na boca. Naquele momento sentiu o peixe parar de se deslocar, mas o peso continuava lá. Depois o peso aumentou e ele deu mais linha. Intensificou a pressão do polegar e do indicador por um instante, e o peso aumentou e estava indo reto para baixo.

— Ele mordeu a isca — disse o velho. — Agora vou deixar ele comer com calma.

O velho deixou a linha deslizar entre os dedos enquanto prendia com a mão esquerda as extremidades dos dois rolos reserva no laço dos dois rolos reserva da outra linha. Agora estava pronto. Tinha três rolos de quarenta braças de linha extra, além do rolo que estava usando.

— Coma mais um pouco — disse ele. — Coma bem.

Coma até a ponta do anzol entrar no teu coração e te matar, ele pensou. Suba fácil e deixe eu enfiar o arpão em você. Tudo bem. Está pronto? Já está à mesa há tempo suficiente?

— Agora! — disse ele e puxou forte com as duas mãos, recolhendo um metro de linha e depois puxando mais uma vez e mais uma, usando os dois braços alternadamente na linha com toda a força dos braços e com o peso oscilante do seu corpo.

Nada aconteceu. O peixe simplesmente se afastou devagar, e o velho não conseguiu fazer com que ele subisse nem um centímetro. A linha era forte e feita para peixes pesados, e ele puxou na direção de suas costas até que ela estivesse tensa a ponto de gotas de água saltarem dela. Então a linha começou a fazer um leve som de assobio na água, e ele continuou segurando, se apoiando no banco e inclinando o corpo para trás para aguentar o puxão. O barco começou a se mover lentamente rumo a nordeste.

O peixe nadava a uma velocidade constante e eles seguiam devagar pela água calma. As outras iscas continuavam na água, mas não havia nada a fazer.

— Queria que o menino estivesse aqui — disse o velho. — Estou sendo rebocado por um peixe e sou o poste onde ele amarrou o cabo de reboque. Eu podia amarrar a linha. Mas aí ele podia acabar arrebentando ela. Tenho que segurar até onde eu aguentar e dar linha quando ele precisar. Graças a Deus ele está indo pra frente e não pra baixo.

O que vou fazer se ele decidir ir pra baixo, não sei. O que vou fazer se ele afundar e morrer, não sei. Mas alguma coisa eu vou fazer. Tem muita coisa que eu posso fazer.

Ele passou a linha pelas costas e viu sua inclinação na água e o barco indo em velocidade constante para noroeste.

Se continuar assim ele morre, o velho pensou. Ele não pode fazer isso pra sempre. Porém, quatro horas depois o peixe continuava nadando em velocidade constante para o mar aberto, rebocando o barco, e o velho continuava agarrado firmemente à linha presa em suas costas.

— Era meio-dia quando fisguei esse peixe — disse ele. — E até agora não vi o bicho.

Ele tinha puxado o chapéu de palha com força para baixo na cabeça antes de fisgar o peixe e aquilo estava machucando a testa. Ele também estava com sede e se ajoelhou e, com cuidado para não balançar a linha, foi até onde conseguia na direção da proa e pegou a garrafa de água com uma das mãos. Ele abriu e tomou um pouco. Depois se recostou na proa. O velho descansou sentado no mastro e na vela que não estavam sendo usados e tentou não pensar, apenas suportar.

Depois olhou para trás e viu que não havia terra à vista. Isso não faz diferença, ele pensou. Posso sempre me guiar pelo brilho de Havana. Tem mais duas horas até o pôr do sol, e pode ser que ele suba antes disso. Se não, pode ser que ele suba com a lua. Se não subir até lá, pode ser que suba quando o sol nascer. Não tenho cãibras e me sinto forte. Ele é que está com aquele anzol na boca. Mas que peixe para puxar assim. Deve estar com a boca bem fechada em volta do anzol. Quem me dera poder ver o bicho. Queria poder dar só uma olhada para saber com quem estou lutando.

O peixe não mudou o curso nem a direção durante toda a noite, até onde o homem podia ver pelas estrelas. Fez frio depois do pôr do sol e o suor do homem secou e esfriou nas costas e nos braços e nas pernas velhas. Durante o dia ele tinha pegado o saco que cobria a caixa de iscas e estendido para secar ao sol. Depois do pôr do sol ele o amarrou em volta do pescoço, de modo que caísse sobre as costas, e cuidadosamente passou-o por baixo da linha que agora estava em seus ombros. O saco serviu de acolchoamento para a linha e ele tinha encontrado um jeito de se inclinar para a frente contra a proa, o que o deixava quase confortável. A posição na verdade era só um pouco menos intolerável; mas ele a via como quase confortável.

Não posso fazer nada com ele e ele não pode fazer nada comigo, pensou. Não enquanto ele continuar com isso.

A certa altura ele ficou de pé e urinou por cima da amurada, olhou para as estrelas e conferiu seu curso. A linha era uma risca fosforescente na água descendo reto a partir de seus ombros. Eles iam mais devagar agora e o brilho de Havana não era tão forte, por isso ele sabia que a corrente o levava para leste. Se eu perder de vista o brilho de Havana a gente deve estar indo mais para leste, pensou. Porque se o peixe mantiver o mesmo curso devo ver o brilho por muitas horas ainda. Fico imaginando como foi o beisebol nas Grandes Ligas hoje, ele pensou. Ia ser maravilhoso fazer isso com um rádio. Depois pensou, se concentre nisso o tempo todo. Se concentre no que está fazendo. Você não pode fazer nenhuma burrice.

Então disse em alto e bom som:

— Queria que o menino estivesse aqui. Pra me ajudar e pra ver isso.

Ninguém devia ficar sozinho na velhice, ele pensou. Mas é inevitável. Preciso lembrar de comer o atum antes que estrague pra continuar forte. Lembre, não importa se você não estiver sentido vontade, precisa comer o peixe de manhã. Lembre, ele disse para si mesmo.

Durante a noite duas toninhas chegaram perto do barco e ele ouviu quando elas giraram e esguicharam. Dava para perceber a diferença entre o barulho de sopro do esguicho do macho e o esguicho da fêmea, que era mais como um suspiro.

— Gosto delas — falou. — Elas brincam e fazem piadas e se amam. São nossas irmãs como os peixes-voadores.

Depois começou a sentir pena do grande peixe que tinha fisgado. Ele é maravilhoso e estranho e sabe-se lá quantos anos tem, o velho pensou. Nunca tive um peixe tão forte nem que agisse assim de forma tão estranha. Pode ser que ele seja inteligente demais para pular. Ele podia me arruinar saltando ou se saísse em disparada. Mas talvez tenha sido fisgado várias vezes e saiba que é assim que precisa lutar. Ele não tem como saber que está lutando contra um homem só, nem que se trata apenas de um velho. Mas que grande peixe ele é e quanto vai valer no mercado se a carne for boa. Ele mordeu a isca como um macho e puxa como macho e luta sem entrar em pânico. Eu me pergunto se ele tem algum plano ou se está só desesperado como eu.

Ele se lembrou de quando fisgou um marlim que estava com seu par. O macho sempre deixa a fêmea se alimentar antes, e o peixe que foi fisgado, a fêmea, começou uma luta feroz, tomada por pânico, desesperada, que logo a exauriu, e o tempo todo o macho ficou com ela, cruzando a linha e nadando em círculos em volta dela na superfície. Ele ficou tão perto a ponto de o velho recear que o peixe fosse cortar a linha com a cauda, que era afiada como uma foice e quase do mesmo tamanho e forma. Quando o velho pegou a fêmea com o gancho e bateu nela com o porrete, segurando o espadim com sua superfície de lixa e batendo no topo da cabeça dela até que sua cor se tornou quase como a cor do avesso dos espelhos, e depois, com a ajuda do menino, trouxe a fêmea a bordo, o macho ficou ao lado do barco. Depois, enquanto o velho limpava as linhas e preparava o arpão, o macho saltou alto no ar ao lado do barco para ver onde a fêmea estava e depois mergulhou fundo, suas asas cor de lavanda, que eram as nadadeiras peitorais, bem abertas, e todas as suas amplas listras lavanda à mostra. Ele era bonito, o velho lembrou, e havia ficado.

Foi a coisa mais triste que já testemunhei com eles, o velho pensou. O menino ficou triste também e nós suplicamos que ela nos perdoasse e imediatamente começamos a cortar sua carne.

— Queria que o menino estivesse aqui — disse ele e se acomodou nas tábuas curvas da proa e sentiu a força do grande peixe na linha que segurava com os ombros e que se movia em velocidade constante na direção que ele havia escolhido.

Isso foi quando ele caiu no meu truque e precisou fazer uma escolha, o velho pensou.

A escolha dele tinha sido permanecer em águas profundas e escuras bem longe de todas as ciladas e armadilhas e truques. Minha escolha foi ir até lá para encontrar o peixe aonde as pessoas não vão. Aonde ninguém no mundo inteiro vai. Agora estamos unidos, e desde o meio-dia. E não há ninguém para ajudar nenhum de nós.

Talvez eu não devesse ter sido pescador, ele pensou.

Mas foi pra isso que nasci. Não posso me esquecer de jeito algum de comer o atum quando clarear.

Pouco antes do nascer do dia, algo mordeu uma das iscas que estavam atrás dele. Ele ouviu o graveto quebrar e a linha começar a correr sobre a amurada do barco. No escuro, ele tirou a faca da bainha e, suportando toda a tensão do peixe no ombro esquerdo, se inclinou para trás e cortou a linha no ponto em que ela tocava a madeira da amurada. Depois cortou a outra linha mais perto dele e prendeu as pontas dos rolos reserva. Ele trabalhou com habilidade usando uma só mão e colocou o pé sobre os rolos para segurá-los enquanto apertava bem os nós. Agora ele tinha seis rolos reserva de linha. Havia dois de cada isca que ele havia cortado e os dois da isca que o peixe mordeu e estavam todos conectados.

Quando clarear, pensou, vou puxar a isca de quarenta braças e cortar também e conectar os rolos extras. Vou ter perdido duzentas braças de bom cordel catalão e os anzóis e as linhas condutoras. Isso dá pra substituir. Mas quem substitui o peixe que eu fisguei se pego algum peixe e ele corta a linha? Não sei o que era esse peixe que mordeu a isca agorinha. Podia ser um marlim ou um peixe-espada ou um tubarão. Não cheguei a sentir o bicho. Tive que me livrar dele depressa demais.

E falou em alto e bom som:

— Queria o menino aqui comigo.

Mas o menino não está aqui, ele pensou. Você está sozinho e é melhor puxar a última linha agora, estando escuro ou não, e cortar e prender os dois rolos reserva.

Foi o que ele fez. No escuro era difícil, e em certo momento o peixe deu um puxão que fez com que ele caísse de cara no banco e se cortasse logo abaixo do olho. O sangue escorreu alguns centímetros pelo rosto. Mas coagulou e secou antes de chegar ao queixo, e ele voltou para a proa e se recostou na madeira. O velho ajustou o saco e com cuidado puxou a linha para passar por um novo ponto dos ombros e, segurando-a ancorada nos ombros, cuidadosamente sentiu o puxão do peixe e depois sentiu com a mão o progresso do barco pela água.

Por que será que o peixe deu aquele solavanco?, ele pensou. O metal deve ter escorregado pela grande colina do dorso dele. Com certeza as costas dele não estão doendo tanto quanto as minhas. Mas ele não tem como puxar esse barco para sempre, não importa o seu tamanho. Agora me livrei de tudo que podia causar problema e tenho uma grande linha reserva; tudo que um homem pode pedir.

— Peixe — disse ele baixinho —, vou ficar com você até que eu morra.

Ele também vai ficar comigo, imagino, o velho pensou, e esperou o dia clarear. Fazia frio no momento que antecedia o nascer do sol e ele prensou o corpo contra a madeira para se aquecer. Posso aguentar tanto quanto ele, o velho pensou. E, assim que clareou, a linha se estendeu para fora e para baixo na água. O barco se moveu em velocidade constante e quando a primeira borda do sol surgiu, ela iluminou o ombro direito do velho.

— Ele está indo para o norte — disse o velho.

A corrente levou a gente bem para leste, pensou. Queria que ele voltasse com a corrente. Seria um indício de que o peixe estava cansando.

Quando o sol tinha subido um pouco mais, o velho percebeu que o peixe não estava cansando. Só havia um sinal favorável. A inclinação da linha mostrava que ele estava nadando a uma profundidade menor. Isso não significava necessariamente que ele fosse saltar. Mas era uma possibilidade.

— Deus faça com que ele salte — disse o velho. — Tenho linha suficiente para lidar com ele.

Talvez se eu puder aumentar só um pouquinho a tensão isso faça doer e ele pule, o velho pensou. Agora sob a luz do dia, deixe que ele pule para encher os sacos ao lado da espinha de ar e aí não pode ir muito fundo para morrer.

Ele tentou aumentar a tensão, mas a linha estava esticada a ponto de quase arrebentar desde que ele havia fisgado o peixe, e o velho sentiu a dificuldade quando se inclinou para trás para puxar e soube que não podia colocar mais tensão ali. Melhor nunca sacudir isso, ele pensou. Cada movimento amplia o corte que o anzol faz e, então, quando ele saltar, pode derrubar o anzol. De todo modo, o sol faz eu me sentir melhor e pelo menos dessa vez não preciso olhar para ele.

Havia algas amarelas na linha, mas o velho sabia que isso só aumentava o arrasto e portanto era uma coisa boa. Eram aquelas algas amarelas do Golfo que ficavam tão fosforescentes à noite.

— Peixe — disse ele —, eu te amo e te respeito muito. Mas vou te matar antes do fim do dia.

Vamos torcer para que seja assim, ele pensou.

Um pássaro pequeno veio do norte na direção do barco. Era uma toutinegra e estava voando muito perto da água. O velho viu que a ave estava bem cansada.

O pássaro pousou na popa do barco e descansou ali. Depois voou em torno da cabeça do velho e pousou na linha, onde ficou mais confortável.

— Quantos anos você tem? — perguntou o velho ao pássaro. — É tua primeira viagem?

O pássaro olhou para o velho quando este falou. Estava cansado demais até para examinar a linha e balançou sobre ela enquanto seus pés delicados se prendiam forte nela.

— Está parada — disse o velho para ele. — Parada demais. Você não devia estar tão cansado depois de uma noite sem vento. O que está acontecendo com os pássaros?

Os falcões, ele pensou, que vêm para o mar para encontrá-los. Mas não disse nada sobre isso para o pássaro, que não entenderia o que ele falava, de qualquer jeito, e que logo ficaria sabendo sobre os falcões.

— Descanse bastante, passarinho — disse ele. — Depois vá e se arrisque como qualquer homem ou pássaro ou peixe.

Falar era algo que o encorajava porque as costas tinham travado durante a noite e agora estavam doendo de verdade.

— Fique na minha casa se quiser, passarinho — disse ele. — Desculpe por não poder levantar vela e te levar para a terra com esse ventinho que está começando a soprar. É que estou com um amigo.

Bem naquele momento o peixe deu um solavanco súbito que puxou o velho para a proa e que podia tê-lo derrubado do barco se ele não tivesse se agarrado e soltado um pouco de linha.

O pássaro tinha voado quando a linha se mexeu e o velho nem viu sua partida. Sentiu a linha com cuidado com a mão direita e percebeu que a mão estava sangrando.

— Então alguma coisa machucou o bicho — disse ele e puxou a linha de volta para ver se conseguia virar o peixe.

Mas, quando estava chegando ao ponto de ruptura, ele segurou com firmeza e se recostou para fazer contrapeso à tensão da linha.

— Você está sentindo agora, peixe — disse ele. — E Deus sabe que eu também estou.

Ele olhou em volta procurando o pássaro, porque ia gostar de ter companhia. O pássaro tinha partido.

Você não ficou por muito tempo, o homem pensou. Mas as coisas são mais complicadas nesse trecho para onde você está indo antes de chegar à praia. Como foi que eu deixei o peixe me cortar com aquele movimento rápido que ele fez? Devo estar ficando muito burro. Ou pode ser que eu estivesse olhando para o passarinho e pensando nele. Agora vou prestar atenção no meu trabalho e depois preciso comer o atum para não me faltarem as forças.

— Queria que o menino estivesse aqui e queria ter um pouco de sal — disse ele.

Passando o peso da linha para o ombro esquerdo e se ajoelhando com cuidado, ele lavou a mão no mar e a deixou ali, submersa, por mais de um minuto vendo o sangue formar um rastro que se afastava e observando o movimento constante da água contra sua mão à medida que o barco se deslocava.

— Ele diminuiu bastante de velocidade — disse o velho.

O velho teria gostado de manter a mão na água salgada por mais tempo, mas, com medo de outro movimento brusco do peixe, levantou e ficou de prontidão e pôs a mão no alto na direção do sol. Era só uma queimadura causada pela linha que tinha feito um corte na carne. Mas era na parte da mão que ele usava para trabalhar. Ele sabia que ia precisar das mãos antes que isso acabasse e não gostou de ter um corte antes de começar.

— Agora — disse ele quando a mão tinha secado —, preciso comer o pequeno atum. Posso pegar com o gancho e comer aqui confortavelmente.

Ele se ajoelhou e encontrou o atum debaixo da popa com o gancho e puxou o peixe na sua direção desviando dos rolos de linha. Segurando a linha outra vez com o ombro esquerdo, e se apoiando na mão e no braço esquerdo, o velho tirou o atum do gancho e colocou o gancho de volta no lugar. Ele pôs um dos joelhos sobre o peixe e cortou tiras da carne escura e vermelha longitudinalmente desde a parte de trás da cabeça até a cauda. Eram tiras em forma de cunha e ele as cortou desde perto da espinha até a proximidade da barriga. Quando tinha cortado seis tiras, ele as espalhou sobre a madeira da proa, limpou a faca nas calças e ergueu a carcaça do bonito pela cauda e jogou por cima da amurada.

— Acho que não consigo comer uma inteira — disse ele e cortou uma das tiras com a faca.

Ele sentia a tensão constante na linha e a mão esquerda estava com cãibras. A mão se fechou bem em torno da linha pesada e ele olhou para ela enojado.

— Que tipo de mão é essa? — perguntou ele. — Pode ficar com cãibra se quiser. Vire uma garra. Não vai te ajudar em nada.

Vamos, ele pensou e olhou para a água escura para ver a inclinação da linha. Coma agora e isso vai deixar a mão mais forte. A mão não tem culpa de você estar há horas com esse peixe. Mas você pode ficar pra sempre com ele. Coma o bonito agora.

Ele pegou um pedaço, colocou na boca e mastigou devagar. Não era ruim.

Mastigue bem, ele pensou, e absorva todos os sucos. Não ia ser nada mal comer isso com um pouquinho de limão-taiti ou limão-siciliano ou com sal.

— Como você está, mão? — perguntou ele para a mão com cãibra, tão dura que quase parecia estar em *rigor mortis*. — Vou comer mais um pouco por você.

Ele comeu a outra parte da tira que cortou pela metade. Mastigou com cuidado e depois cuspiu a pele.

— Está melhorando, mão? Ou é muito cedo pra saber?

Ele pegou outra tira inteira e mastigou.

É um peixe forte, de carne vermelha, ele pensou. Tive sorte de pescar esse, em vez de um dourado. Dourado é doce demais. Esse não tem nada de doce e a força fica toda nele.

Mas preciso ser prático, ele pensou. Queria ter um pouco de sal. E não sei se o sol vai apodrecer ou secar o que sobrou, então é melhor comer tudo mesmo sem fome. O peixe está calmo e não muda de velocidade. Vou comer tudo e aí vou estar preparado.

— Seja paciente, mão — disse ele. — Estou fazendo isso por você.

Queria poder alimentar o peixe, pensou. Ele é meu irmão. Mas preciso matar o peixe e tenho que estar forte para isso. Devagar e consciente ele comeu todas as tiras em forma de cunha do atum.

Ele endireitou a postura, limpando a mão na calça.

— Agora — disse ele. — Pode soltar a linha, mão, e vou lidar com ele usando só o braço direito até você deixar dessa bobagem.

Ele colocou o pé esquerdo sobre a linha pesada que a mão esquerda havia segurado e se recostou para suportar a tensão com as costas.

— Deus me ajude a me livrar dessa cãibra — disse ele. — Porque eu não sei o que o peixe vai fazer.

Mas ele parece calmo, o velho pensou, e está seguindo seu plano. Mas qual é o plano dele?, pensou. E qual é o meu? O meu eu preciso improvisar de acordo com o dele por ser tão grande. Se pular eu consigo matar o bicho. Mas ele fica lá embaixo e não sobe nunca. Então vou ficar com ele assim pra sempre.

Esfregou a mão com cãibra na calça e tentou ajeitar os dedos. Mas a mão não abria. Talvez abrisse com o sol, pensou. Talvez abrisse quando o forte atum cru tivesse sido digerido. Se for preciso, vou abrir essa mão, custe o que custar. Mas não quero abrir à força agora. Deixe que ela abra sozinha e que volte quando achar melhor. Afinal abusei bastante dela de noite para liberar as várias linhas.

O velho olhou para o mar e soube o quanto estava sozinho. Mas ele conseguia ver os prismas na água profunda e escura e a linha se estendendo à frente e a estranha ondulação da calmaria. As nuvens aumentavam de tamanho agora por causa dos ventos alísios e ele olhou adiante e viu o voo de patos selvagens que faziam um desenho no céu acima da água, então se misturavam e formavam o desenho de novo, e soube que um homem jamais ficava sozinho no mar.

Ele pensou em como alguns homens temiam não ter terra à vista num barco pequeno e sabia que tinham razão em ter medo nos meses de mau tempo súbito. Mas agora eram os meses de furacão e, quando não há furacões, o tempo desses meses é o melhor do ano todo.

Quando há furacão, você sempre vê os sinais no céu dias antes, se está no mar. Eles não veem em terra firme porque não sabem o que procurar, pensou. A terra também deve interferir no formato das nuvens. Mas agora não tem nenhum furacão vindo.

Ele olhou para o céu e viu as cumulus brancas aumentando de tamanho como amistosas pilhas de sorvete, e bem no alto havia as finas penas das cirrus no céu de setembro.

— Brisa suave — disse ele. — Um tempo melhor pra mim do que pra você, peixe.

A mão esquerda continuava com cãibra, mas ele desatava seus nós devagar.

Odeio cãibra, pensou. É uma traição do corpo. Você se sente humilhado na frente dos outros se tem uma diarreia por intoxicação de ptomaína ou se vomita por causa disso. Mas cãibra, ele pensava naquilo como *calambre*, te humilha especialmente quando você está sozinho.

Se estivesse aqui, o menino podia massagear para mim e vir soltando desde o antebraço, ele pensou. Mas vai soltar.

Então, com a mão direita, ele sentiu a diferença na tensão da linha antes de ver a inclinação na água mudar. Em seguida, enquanto se inclinava na direção da linha e batia a mão esquerda com força e rápido na coxa, ele viu a linha se inclinando lentamente para cima.

— Ele está subindo — disse o velho. — Vamos, mão. Vamos, por favor.

A linha subia devagar e sempre, e então a superfície do oceano inchou diante do barco e o peixe emergiu. Ele emergia sem parar e a água escorria de seus flancos. O peixe brilhava ao sol, e sua cabeça e o dorso eram de um roxo-escuro, e ao sol as listras nas laterais pareciam amplas, de um lavanda-claro. O espadim era do tamanho de um taco de beisebol e afinava como um florete, e o peixe tirou toda a extensão dele da água e depois entrou de novo, suavemente, como um mergulhador, e o velho viu a grande lâmina de foice de sua cauda submergir e a linha começou a correr.

— Ele é meio metro mais comprido que o barco — disse o velho.

A linha estava correndo rápido, mas a uma velocidade constante, e o peixe não tinha entrado em pânico. O velho estava tentando com as duas mãos manter a linha dentro do limite da tensão. Ele sabia que, caso não fosse capaz de frear o peixe com uma pressão constante, o peixe podia soltar toda a linha e arrebentá-la.

É um peixe grande e eu preciso ganhar dele, pensou. Não posso deixar que ele saiba da própria força nem do que ele seria capaz de fazer se saísse em disparada. Se eu fosse ele, apostaria tudo agora e sairia rápido até alguma coisa arrebentar. Mas, graças a Deus, eles não são tão inteligentes quanto nós, que os matamos; embora sejam mais nobres e mais hábeis.

O velho tinha visto muitos peixes grandes. Tinha visto vários que pesavam mais de quinhentos quilos e pegou dois daquele tamanho em sua vida, mas nunca sozinho. Agora, sozinho, e sem terra à vista, ele estava preso ao maior peixe que já tinha visto e ao maior de que já tinha ouvido falar, e sua mão esquerda continuava fechada como as garras cerradas de uma águia.

Mas a mão vai melhorar, pensou. Com certeza vai melhorar para ajudar minha mão direita. Tem três coisas que são como irmãos: o peixe e as minhas duas mãos. Ela tem que melhorar. Não é digno dela ficar com cãibra. O peixe tinha diminuído a velocidade de novo e estava indo no seu ritmo usual.

Por que será que ele pulou?, o velho se perguntou. Era quase como se quisesse me mostrar como era grande. Em todo caso, agora eu sei, pensou. Queria mostrar para ele que espécie de homem eu sou. Mas aí ele ia ver a mão com cãibra. Deixe que ele pense que sou mais homem do que sou e vou acabar sendo. Queria ser o peixe, o velho refletiu, com tudo que ele tem, contra a minha vontade e a minha inteligência apenas.

Ele se acomodou confortavelmente encostado na madeira e aceitou seu sofrimento, e o peixe nadava a uma velocidade constante, e o barco navegava devagar pela água escura. Havia uma pequena elevação no mar com o vento que vinha do leste e, ao meio-dia, a cãibra na mão do velho tinha passado.

— Más notícias pra você, peixe — disse ele e passou a linha sobre o saco que cobria os ombros.

Ele estava confortável, mas sofrendo, embora não admitisse de jeito nenhum o sofrimento.

— Não sou religioso — disse ele. — Mas vou rezar dez Pais-Nossos e dez Ave-Marias para pegar esse peixe, e prometo fazer uma peregrinação para a Virgem do Cobre se pegar o bicho. Prometo.

Ele começou a dizer as preces mecanicamente. Às vezes ficava cansado a ponto de não lembrar a oração e então rezava rápido para que as palavras saíssem no automático. As Ave-Marias eram mais fáceis de dizer do que os Pais-Nossos, pensou.

— Ave Maria, cheia de graça, o Senhor é convosco. Bendita sois vós entre as mulheres e bendito é o fruto do vosso ventre, Jesus. Santa Maria, mãe de Deus, rogai por nós os pecadores agora e na hora de nossa morte. Amém. — Depois ele acrescentou: — Virgem abençoada, reze para o peixe morrer. Mesmo sendo maravilhoso como é.

Depois de dizer as preces, e se sentindo muito melhor, mas sofrendo exatamente o mesmo tanto, e talvez um pouco mais, ele se recostou na madeira da proa e começou, mecanicamente, a massagear os dedos da mão esquerda.

O sol estava quente agora, embora a brisa soprasse suave.

— Acho que seria melhor colocar uma isca nova naquela linha pequena na popa — disse ele. — Se o peixe decidir passar mais uma noite, vou precisar comer de novo e tem pouca água na garrafa. Acho que por aqui só consigo pegar um dourado. Mas se eu comer bem fresco não vai ser ruim. Queria que um peixe-voador aparecesse essa noite. Mas não tenho luz para servir de atrativo. Peixe-voador é excelente para comer cru e eu não ia ter de cortar. Preciso poupar minhas forças agora. Cristo, eu não sabia que ele era tão grande.

— Mas eu vou matar esse peixe — disse ele. — Em toda a sua grandeza e sua glória.

Embora seja injusto, pensou. Mas vou mostrar a ele o que um homem é capaz de fazer e o que um homem aguenta.

— Falei pro menino que eu era um velho estranho — disse ele. — Agora é que tenho que provar isso.

As mil vezes em que ele havia provado isso não significavam nada. Agora estava provando de novo. Cada vez era uma nova vez e ele jamais pensava no passado quando estava fazendo isso.

Queria que ele dormisse para eu poder dormir e sonhar com os leões, pensou. Por que os leões são a coisa mais importante que sobrou? Não pense, velho, ele disse para si mesmo. Fique encostado tranquilo na madeira e não pense em nada. Ele está fazendo todo o trabalho. Trabalhe o mínimo que puder.

A tarde estava começando e o barco ainda se deslocava devagar e a uma velocidade constante. Mas agora a brisa leste causava um arrasto maior e o velho navegava calmamente e a dor da linha atravessada nas costas lhe parecia tranquila e suave.

A certa altura da tarde, a linha começou a subir de novo. Mas o peixe apenas continuou a nadar num nível um pouco acima. O sol estava no braço e no ombro esquerdos do velho e nas suas costas. Por isso ele sabia que o peixe tinha virado do norte um pouco para leste.

Agora que tinha visto o peixe uma vez, conseguia visualizá-lo nadando na água com suas nadadeiras peitorais roxas bem abertas como asas e a grande cauda ereta cortando a escuridão. Fico me perguntando quanto será que ele enxerga naquela escuridão, o velho pensou. O olho dele é imenso, e um cavalo, com olhos muito menores, consegue ver no escuro. Antigamente eu enxergava bem no escuro. Não na escuridão total. Mas quase igual a um gato.

O sol e o movimento constante dos dedos tinham eliminado completamente a cãibra da mão esquerda e ele começou a passar uma parte maior da tensão para ela e retraiu os músculos das costas para mudar um pouco o lugar da dor causada pela linha.

– Se você não está cansado, peixe – disse ele –, deve ser muito estranho.

Ele estava muito cansado agora e sabia que a noite logo chegaria e tentou pensar em outras coisas. Ele pensou nas Grandes Ligas, que para ele eram as *Gran Ligas*, e sabia que os Yankees de Nova York iam jogar contra os Tigres de Detroit.

Este é o segundo dia que fico sem saber os resultados dos *juegos*, pensou. Mas preciso ter confiança e tenho que ser digno do grande DiMaggio que faz tudo com perfeição mesmo com a dor do esporão do calcanhar. O que é o esporão do calcanhar?, ele se perguntou. *Un espuela de hueso*. A gente não tem isso. Será que pode doer tanto quanto o esporão de um galo no calcanhar do sujeito? Acho que eu não conseguiria aguentar isso nem a perda de um olho e dos dois olhos e continuar lutando como os galos de rinha fazem. O homem não é grande coisa quando comparado com os grandes pássaros e animais. Mesmo assim eu ia preferir ser aquele bicho lá embaixo na escuridão do mar.

— A não ser que venham tubarões — disse ele. — Se vierem tubarões, Deus tenha piedade dele e de mim.

Você acha que o grande DiMaggio ficaria com um peixe por tanto tempo quanto eu vou ficar com esse?, pensou. Certeza que sim, e até mais, já que ele é jovem e forte. Além disso, o pai dele era pescador. Mas será que o esporão do calcanhar ia doer muito?

— Não sei — falou. — Nunca tive esporão no calcanhar.

Enquanto o sol se punha ele se lembrou, para ganhar mais confiança, da vez na taverna em Casablanca quando fez queda de braço com o maior negro de Cienfuegos, que era o homem mais forte das docas. Eles passaram um dia e uma noite com os cotovelos sobre uma marca de giz numa mesa e os antebraços erguidos e as mãos bem apertadas. Cada um tentava forçar a mão do outro para baixo até a mesa. Houve muitas apostas e as pessoas entravam e saíam do ambiente sob a luz das lâmpadas de querosene e ele tinha olhado para a mão do negro e para o rosto do negro. Os juízes foram substituídos a cada quatro horas depois das primeiras oito horas para que pudessem dormir. Saía sangue de baixo das unhas dele e também das unhas do negro e eles se olhavam nos olhos e olhavam para as mãos e para os antebraços e os apostadores entravam e saíam do ambiente e se sentavam em cadeiras altas encostadas na parede e ficavam assistindo. As paredes eram pintadas de um azul chamativo e eram de madeira e as lâmpadas jogavam suas sombras nelas. A sombra do negro era enorme e se movia na parede à medida que a brisa movia as lâmpadas.

As apostas mudavam para um lado e para o outro a noite toda e davam rum para o negro e acendiam cigarros para ele. Então o negro, depois do rum, fazia uma força tremenda e uma vez ele conseguiu levar a mão do velho, que não era velho e na época era Santiago *El Campéon*, uns oito centímetros para lá da linha mediana. Mas o velho ergueu a mão até ficar exatamente reta de novo. Nesse momento ele teve certeza de que tinha ganhado do negro, que era um belo homem e um grande atleta. E quando o dia raiou e os apostadores estavam pedindo que se declarasse um empate e o juiz sacudia a cabeça, ele deu um gás e forçou a mão do negro para baixo e mais para baixo até que ela encostou na madeira. A disputa começou num domingo de manhã e terminou numa segunda de manhã. Muitos apostadores tinham pedido o empate porque precisavam ir trabalhar nas docas carregando sacas de açúcar ou na Companhia Carvoeira de Havana. Não fosse por isso todo mundo ia querer que a disputa fosse até o final. Mas ele acabou com a disputa de qualquer jeito e antes que todos precisassem ir para o trabalho.

Durante muito tempo depois disso, todos o chamavam de O Campeão e houve uma revanche na primavera. Mas ninguém apostou muito dinheiro e ele venceu com facilidade porque tinha abalado a confiança do negro de Cienfuegos naquela primeira vez. Depois disso participou de mais umas poucas disputas e então parou. Concluiu que poderia vencer qualquer um se desejasse muito e que aquilo fazia mal para sua mão direita, a que usava para pescar. Tentou algumas disputas com a mão esquerda como treino. Mas ela sempre foi uma traidora e não fazia o que ele pedia, por isso não confiava nela.

O sol vai esquentar bem essa mão agora, pensou. Ela não deve mais ter cãibra a não ser que faça muito frio de noite. Fico pensando o que vai ser dessa noite.

Um avião cruzou o céu em sua trajetória para Miami, e ele viu quando sua sombra assustou os cardumes de peixes-voadores.

— Com tanto peixe-voador, deve ter dourados — disse ele, e se recostou na linha para ver se era possível ganhar um pouco de terreno sobre seu peixe.

Mas não tinha como, e ele parou no ponto em que a linha fica rígida e treme pingando água e que precedia o rompimento. O barco avançava devagar e ele ficou vendo o avião até perdê-lo de vista.

Deve ser muito estranho estar num avião, pensou. Como será ver o mar daquela altura? Se não voassem muito alto talvez conseguissem ver os peixes. Eu queria voar bem devagarinho a duzentas braças de altura e ver os peixes de cima. Nos barcos de caçar tartaruga eu ficava na gávea do mastro e mesmo lá de cima via muita coisa. Os dourados parecem mais verdes lá do alto e dá pra ver as listras deles e as manchas roxas e o cardume todo enquanto eles nadam. Por que todo peixe de corrente escura que nada rápido tem o dorso roxo e normalmente tem ou listras ou manchas roxas? Os dourados parecem verdes, óbvio, mas na verdade são da cor do ouro. Porém, quando vão comer, quando estão com fome mesmo, dá para ver listras roxas nos flancos como as de um marlim. Será que é a raiva que faz essas listras aparecerem ou é a velocidade do nado?

Pouco antes de escurecer, enquanto eles passavam por uma grande ilha de sargaço que ondulava e se agitava no mar claro como se o oceano estivesse fazendo amor com algo sob uma coberta amarela, a linha pequena fisgou um dourado. Ele viu o bicho primeiro quando saltou no ar, todo cor de ouro sob os últimos raios de sol e se recurvando e batendo rápido as nadadeiras no ar. Ele saltou várias e várias vezes nas acrobacias geradas por seu medo, e o velho foi de volta até a popa e, agachando e segurando a linha grande com a mão e o braço direitos, foi puxando o dourado com a mão esquerda, pisando com o pé descalço na linha que conquistava a cada puxada. Quando o dourado estava na popa, mergulhando e cruzando de um lado para o outro em desespero, o velho se debruçou sobre a amurada e ergueu o animal cor de ouro e lustroso com suas manchas roxas acima da popa. As mandíbulas do dourado se mexiam convulsivamente em mordidas rápidas contra o anzol e ele batia no fundo do barco com seu corpo longo e plano, balançando a cauda e a cabeça, até o velho bater com o bastão na cabeça dourada dele e o animal tremer e depois ficar imóvel.

O velho tirou o anzol da boca do dourado, colocou uma nova isca com outra sardinha e jogou sobre a amurada. Depois voltou lentamente até a proa. Ele lavou a mão esquerda e secou na calça. Em seguida, passou a linha pesada da mão direita para a esquerda e lavou a mão direita no mar enquanto via o sol mergulhar no oceano e olhava a inclinação da linha grande.

— Ele não mudou nadinha — falou.

Mas, observando o movimento da água contra a mão, o velho percebeu que a velocidade era nitidamente menor.

— Vou amarrar os dois remos juntos na popa e aí ele vai ficar mais lento à noite — disse o velho. — Ele está pronto para a noite e eu também.

Seria melhor limpar o dourado mais tarde para o sangue ficar na carne, pensou. Posso fazer isso daqui a pouco e amarrar os remos para causar arrasto ao mesmo tempo. Melhor deixar o peixe quieto agora e não mexer demais com ele enquanto o sol se põe. O pôr do sol é uma hora difícil para todos os peixes.

Ele deixou a mão secar no ar e depois segurou a linha com ela e relaxou na medida do possível e se deixou ser puxado para a frente, contra a madeira de modo que o barco aguentava boa parte da tensão por ele, ou talvez até a maior parte.

Estou aprendendo a fazer isso, pensou. Essa parte da coisa, pelo menos. Em seguida lembrou que o peixe não se alimentava desde que pegou a isca e que é imenso e precisa de muita comida. Eu comi o bonito inteiro. Amanhã vou traçar o dourado. Ele o chamava de *dorado*. Talvez eu devesse comer uma parte quando for limpar. Vai ser mais difícil de comer do que o bonito. Mas, também, nada é fácil.

— Como você está, peixe? — perguntou ele em altos brados. — Eu estou bem e a minha mão esquerda está melhor e tenho comida para uma noite e um dia. Puxe o barco, peixe.

Na verdade, ele não se sentia bem porque a dor que a linha causava nas costas já quase tinha passado do ponto de ser uma dor para se transformar numa dormência que o deixava cabreiro. Mas já passei por coisas piores do que isso, pensou. Minha mão está só com um cortezinho e a cãibra da outra passou. As pernas estão boas. E, além disso, ganhei dele na questão da sustância.

Agora estava escuro como quando escurece rápido depois do pôr do sol em setembro. Ele estava deitado na madeira gasta da proa e descansava como podia. As primeiras estrelas surgiram. Ele não sabia o nome de Rigel, mas viu a estrela e soube que logo todas surgiriam e que ele teria todos os seus amigos distantes.

— O peixe também é meu amigo — disse ele. — Nunca vi um peixe assim nem ouvi falar de nada parecido. Mas tenho que matar o peixe. Ainda bem que a gente não precisa tentar matar as estrelas.

Imagine se todo dia um homem tivesse de tentar matar a lua, pensou. A lua foge. Mas imagine se todo dia um homem tivesse de tentar matar o sol? A gente nasceu com sorte, pensou.

Então ele sentiu pena do grande peixe que não tinha nada para comer e a sua determinação em matar o peixe não diminuiu por sentir essa pena. Quantas pessoas ele vai alimentar, o velho pensou. Mas elas merecem comer o peixe? Não, lógico que não. Ninguém merece comer um peixe que se comporta assim e que tem tanta dignidade.

Não entendo dessas coisas, pensou. Mas é bom que a gente não tenha que tentar matar o sol, nem a lua, nem as estrelas. Basta viver no mar e matar nossos verdadeiros irmãos.

Agora, pensou, tenho que considerar o arrasto. Tem lá seus perigos e seus méritos. Posso perder tanta linha que vou acabar perdendo o peixe, se ele se esforçar e o arrasto dos remos funcionar e o barco perder a velocidade. A velocidade baixa do barco prolonga o sofrimento de nós dois, mas é a minha segurança porque o peixe tem uma velocidade enorme que ainda não usou. Aconteça o que acontecer, tenho que limpar o dourado para que não estrague e preciso comer um pouco para ter forças.

Agora vou descansar mais uma hora e sentir que ele está firme e seguindo na mesma velocidade antes de voltar para a popa para trabalhar e tomar minha decisão. Enquanto isso, posso ver como ele age e se muda algo. Os remos são um bom truque; mas chegou a hora de fazer o que é mais garantido. Ele continua sendo peixe demais e vi que o anzol está no canto da boca e ele está com a boca bem fechada. A dor do anzol não é nada. A dor da fome, e lutar contra algo que não entende, isso é tudo. Descanse agora, velho, e deixe que ele faça todo o trabalho até chegar a hora da próxima tarefa.

Ele descansou por um tempo que lhe pareceu durar duas horas. A lua nasceu tarde e ele não tinha como contabilizar o tempo. E nem de longe estava realmente descansado, exceto na comparação com seu estado anterior. Ainda suportava a tensão do peixe nos ombros, mas tinha colocado a mão esquerda na amurada da proa e deixava cada vez mais que o próprio barco respondesse por parte da resistência ao peixe.

Como seria simples se eu pudesse prender a linha, pensou. Mas com um pequeno solavanco, ele poderia arrebentá-la. Preciso amortecer a tensão da linha com meu corpo e estar sempre preparado para liberar linha com as duas mãos.

— Mas você ainda não dormiu, velho — disse ele. — Já passou metade de um dia e uma noite e agora mais um dia e você não dormiu. Você tem que bolar um jeito de dormir um pouco se ele estiver tranquilo e em velocidade constante. Se você não dormir, teus pensamentos vão ficar confusos.

Meus pensamentos estão claros, ele pensou. Bem claros. Claros como as estrelas que são minhas irmãs. Mesmo assim, preciso dormir. Elas dormem e a lua e o sol dormem e até o oceano dorme de vez em quando, em certos dias quando não tem correnteza nem ondas.

Mas se lembre de dormir, pensou. Se obrigue a dormir e bole um jeito simples e certeiro de resolver o problema das linhas. Agora volte e prepare o dourado. É perigoso demais prender os remos para fazer arrasto se você estiver com sono.

Eu podia passar sem dormir, pensou. Mas seria perigoso demais.

Ele começou a voltar para a popa se apoiando nas mãos e nos joelhos, tendo o cuidado de não dar um puxão no peixe. Ele também deve estar meio sonolento, o velho pensou. Mas não quero que descanse. Ele tem que puxar o barco até morrer.

De volta à popa ele se virou de modo que a mão esquerda suportasse a tensão da linha que estava nos ombros e sacou a faca da bainha com a mão direita. As estrelas brilhavam agora e ele viu o dourado nitidamente e enfiou a lâmina da faca na cabeça do peixe e o puxou de baixo da proteção da popa. Ele colocou um pé sobre o peixe e o cortou rapidamente do espiráculo até a mandíbula. Em seguida largou a faca e eviscerou o peixe com a mão direita, deixando tudo limpo e removendo as guelras. O velho sentiu o estômago pesado e escorregadio nas mãos e decidiu abri-lo. Dentro havia dois peixes-voadores. Estavam frescos e rígidos e ele deixou os dois um ao lado do outro e jogou as vísceras e as guelras no mar. Elas afundaram deixando um rastro fosforescente na água. O dourado estava frio e de um branco-acinzentado leproso à luz das estrelas e o velho retirou a pele de um dos lados do peixe enquanto mantinha o pé direito na cabeça. Depois virou o peixe e tirou a pele do outro lado e cortou os dois lados, desde a cabeça até a cauda.

O velho jogou a carcaça no mar e olhou para ver se havia algum turbilhão na água. Mas só o que viu foi a luz de sua lenta descida. Então se virou e colocou os dois peixes-voadores dentro dos dois filés de peixe e, enfiando a faca de novo na bainha, voltou lentamente até a proa. As costas estavam curvadas pelo peso da linha que levava nos ombros e ele carregava o peixe com a mão direita.

De volta à proa, deixou os dois filés de peixe sobre a madeira com os peixes-voadores ao lado. Depois disso, acomodou a linha em um novo ponto dos ombros e voltou a segurá-la com a mão esquerda apoiada na amurada. Em seguida se debruçou sobre a amurada e lavou os peixes-voadores na água, prestando atenção à velocidade dela em suas mãos. A mão ficou fosforescente após tirar a pele do dourado-do-mar e ele observou o fluxo da água passando por ela. O fluxo tinha perdido força e, enquanto ele esfregava a lateral da mão nas tábuas do barco, partículas de fósforo saíam flutuando e seguiam lentamente à deriva em direção à popa.

— Ele está se cansando ou descansando — disse o velho. — Agora vou comer esse peixe e relaxar um pouco e dar uma dormidinha.

Sob as estrelas e com a noite cada vez mais fria, ele comeu metade de um dos filés de dourado-do-mar e um dos peixes-voadores, limpo e sem a cabeça.

— Comer dourado-do-mar cozido é uma delícia — falou. — E que desgraça comer cru. Nunca mais entro num barco sem sal ou limão.

Se eu fosse inteligente teria jogado água na proa o dia inteiro e deixado secar, ia virar sal, pensou. Mas só fisguei o dourado-do-mar quando o sol estava quase se pondo. Mesmo assim, eu podia ter me preparado. Mas mastiguei bem e não estou enjoado.

O céu estava ficando encoberto a leste e, uma depois da outra, as estrelas que ele conhecia foram sumindo. Agora, a impressão era de que ele ia na direção de um grande cânion de nuvens e que o vento tinha parado.

— O tempo vai ficar ruim daqui a uns três ou quatro dias — disse ele. — Mas não hoje, nem amanhã. Ponha os remos de arrasto agora para dormir um pouco, velho, enquanto o peixe está calmo e numa velocidade constante.

Ele segurou a linha com força na mão direita e empurrou a coxa na direção da mão direita enquanto jogava todo o seu peso na madeira da proa. Depois passou a linha num ponto um pouco mais baixo dos ombros e colocou a mão esquerda nela.

A mão direita consegue segurar a linha desde que esteja apoiada, pensou. Se ela relaxar durante o sono, a mão esquerda vai me acordar quando a linha correr. Fica puxado para a mão direita. Mas ela está acostumada com o esforço. Mesmo que eu durma vinte minutos ou meia hora, ela aguenta. Ele deitou para a frente, se apoiando na linha com o corpo inteiro, botando todo o peso na mão direita, e dormiu.

Ele não sonhou com os leões; em vez disso, sonhou com um imenso cardume de toninhas que se estendia por doze ou quinze quilômetros, e era época do acasalamento e elas saltavam alto no ar e voltavam para o mesmo buraco de onde tinham saído na água.

Depois sonhou que estava na vila em sua cama e soprava um vento norte e ele estava com muito frio e o braço direito estava dormente porque a cabeça tinha ficado sobre ele, e não sobre o travesseiro.

Depois disso ele começou a sonhar com a extensa praia amarela e viu o primeiro dos leões surgir nela durante o crepúsculo e depois os outros leões vieram e ele apoiou o queixo na madeira da proa no ponto em que o navio estava ancorado com a brisa que vinha da praia e esperou para ver se chegariam mais leões e ficou feliz.

A lua tinha nascido havia muito tempo, mas ele continuou dormindo e o peixe continuou rebocando o barco na mesma velocidade, e o barco se deslocava em direção ao túnel de nuvens.

O velho acordou com o solavanco da mão direita indo para o rosto e com a linha queimando a mão direita. Ele não sentia a esquerda, mas travou o máximo que pôde com a direita e a linha foi correndo. Finalmente a esquerda encontrou a linha e ele se recostou sobre ela, que agora queimava suas costas e a mão esquerda, que suportava todo o peso e estava ficando com um corte feio. Ele olhou para os rolos de linha que corriam suavemente. Bem nesse momento o peixe saltou, causando uma grande explosão no oceano, e depois caiu com todo o seu peso. Depois saltou mais uma e outra vez e o barco seguia rápido embora a linha ainda estivesse correndo e o velho aumentasse seguidamente a tensão quase até o ponto de ruptura. Ele tinha sido arrastado até a proa e o rosto estava sobre a fatia de dourado-do-mar e ele não conseguia se mexer.

Era isso que a gente estava esperando, pensou. Então vamos lá.

Faça o peixe sofrer para tomar linha, ele pensou. Faça ele pagar por isso.

Ele não conseguia ver os saltos do peixe e apenas ouvia o mar se abrindo e a batida pesada na água quando ele caía. A velocidade da linha cortava feio suas mãos mas ele sempre soube que isso ia acontecer e tentava manter o corte nas partes calejadas e não deixar que a linha deslizasse para a palma nem que cortasse os dedos.

Se estivesse aqui, o menino ia molhar os rolos de linha, pensou. Isso. Se o menino estivesse aqui. Se o menino estivesse aqui.

A linha corria e corria e corria mas agora a velocidade diminuía e ele estava obrigando o peixe a conquistar cada centímetro. O velho ergueu a cabeça da madeira e da fatia de peixe que seu rosto tinha esmagado.

Depois ficou de joelhos e lentamente se levantou até ficar de pé. Ele cedia linha, mas cada vez mais devagar. Voltou para o lugar onde conseguia sentir com os pés os rolos de linha que não via. Ainda havia bastante linha e agora o peixe tinha de arrastar o atrito de todo aquele novo trecho de linha pela água.

Isso, pensou. E agora ele tinha saltado mais de meia dúzia de vezes e enchido de ar os sacos ao longo das costas e não tem como ir morrer num lugar tão fundo que eu não tenha como puxá-lo. Logo ele vai começar a nadar em círculos e aí eu preciso começar a puxar. O que será que fez o peixe se agitar assim tão de repente? Pode ser que a fome tenha deixado o bicho desesperado, ou então alguma coisa na noite deu um susto nele? Talvez tenha sentido medo de repente. Mas era um peixe tão calmo, forte, e parecia tão destemido e confiante. Estranho.

— Acho bom você ser destemido e confiante, velho — disse ele. — Você está segurando o peixe de novo mas não consegue recolher a linha. E logo ele vai ter que nadar em círculos.

O velho segurou o peixe com a mão esquerda e com os ombros e se abaixou e pegou um pouco de água na mão direita para tirar a carne esmagada do dourado-do-mar do rosto. Ele estava com medo de que aquilo o nauseasse e que ele vomitasse e perdesse a força. Quando o rosto estava limpo, ele lavou a mão direita na água por cima da amurada e depois deixou a mão na água salgada enquanto via a primeira luz surgir antes do nascer do sol. Ele foi quase para o leste, o velho pensou. Isso significa que está cansado e se deixando levar pela correnteza. Logo vai ter que nadar em círculos. Aí começa o nosso trabalho de verdade.

Depois de julgar que a mão direita estava na água há bastante tempo, ele a tirou do mar e olhou.

— Não está tão ruim — disse ele. — E um homem não liga para a dor.

Ele segurou a linha com cuidado para que não entrasse em nenhum dos cortes novos e mudou de posição para poder colocar a mão esquerda no mar no outro lado do barco.

— Você não se saiu tão mal para algo inútil — disse ele para a mão esquerda. — Mas teve uma hora que eu não consegui te achar.

Por que eu não nasci com duas mãos boas?, ele se perguntou. Talvez tenha sido culpa minha por não treinar aquela direito. Mas Deus sabe que ela teve chance de sobra para aprender. Ela não se saiu tão mal de noite, no fim das contas, e só teve cãibra uma vez. Se tiver outra cãibra, vou deixar a linha arrancar a mão.

Quando pensou isso, ele soube que não estava raciocinando muito bem e achou que devia comer mais um pouco do dourado--do-mar. Mas não posso, disse para si mesmo. Melhor ficar meio zonzo do que perder as forças por causa de náusea. E sei que não vou aguentar depois de cair de cara no peixe. Vou deixar ali para uma emergência até estragar. Mas é tarde demais para tentar ganhar forças através da comida. Você é burro, disse para si mesmo. Coma o outro peixe-voador.

O peixe estava ali, limpo e pronto, e ele o pegou com a mão esquerda e mastigou as espinhas com cuidado e comeu tudo, até a cauda.

Ele alimenta mais que quase qualquer outro peixe, o velho pensou. Pelo menos pro tipo de força que eu preciso. Agora fiz o que posso, pensou. Deixe que ele passe a nadar em círculos e que a luta comece.

O sol nascia pela terceira vez desde que ele saiu para o mar quando o peixe começou a nadar em círculos.

O velho não conseguia ver pela inclinação da linha que o peixe nadava em círculos. Estava cedo demais para isso. Apenas sentiu uma leve redução na pressão da linha e começou a puxá-la devagar com a mão direita. A linha ficava esticada, como sempre, mas toda vez que chegava ao ponto de ruptura, mais linha vinha. Ele passou os ombros e a cabeça por baixo da linha e começou a puxar de modo constante e suave. O velho usava as duas mãos num movimento oscilante e tentava puxar o máximo que conseguia com o corpo e as pernas. As pernas e os ombros velhos giravam com o movimento da puxada.

— É um círculo bem grande — falou. — Mas ele está nadando em círculos.

Depois a linha parou de chegar e ele segurou até ver gotas saltando dela ao sol. Em seguida, a linha começou a sair e o velho se ajoelhou de volta e, de má vontade, deixou a linha sair de volta para a água escura.

— Ele está na parte mais distante do círculo agora — disse o velho.

Preciso segurar o máximo que posso, pensou. A tensão vai fazer o círculo ficar cada vez menor. Talvez dentro de uma hora eu veja o peixe. Agora preciso ganhar dele e depois preciso matá-lo.

Porém, o peixe continuou nadando lentamente em círculos e, duas horas depois, o velho estava molhado de suor e morto de cansaço. Mas os círculos estavam muito menores agora e, pelo modo como a linha estava inclinada, ele sabia que o peixe tinha subido de forma constante enquanto nadava.

Fazia uma hora que o velho vinha vendo pontos pretos e o suor salgava os olhos e o corte na sobrancelha e na testa. Ele não tinha medo dos pontos pretos. Aquilo era normal com a tensão que estava fazendo para puxar a linha. Duas vezes, porém, ele se sentiu fraco e tonto e isso o preocupou.

— Não posso falhar agora e morrer sem pegar um peixe desse — falou. — Agora que ele está vindo tão lindamente, Deus me ajude a aguentar. Vou rezar cem Pais-Nossos e cem Ave-Marias. Mas não posso orar agora.

Considere como se eu já tivesse rezado. Rezo depois.

Bem nessa hora ele sentiu uma pancada e um puxão repentinos na linha que segurava com as duas mãos. Foi rápido, raivoso e forte.

Ele está batendo com o espadim na linha condutora, o velho pensou. Era previsível. Ele tinha que agir assim. Mas isso pode levar o peixe a saltar e prefiro que ele continue nadando em círculos por enquanto. Os saltos eram necessários para que ele pegasse ar. Mas depois disso cada pulo pode aumentar a ferida feita pelo anzol e ele pode se soltar do anzol.

— Não pule, peixe — disse ele. — Não pule.

O peixe bateu na linha condutora várias vezes ainda e, a cada vez que ele sacudia a cabeça, o velho liberava um pouco de linha.

Devo manter a dor nesse nível, pensou. Minha dor não importa. Consigo controlar. Mas a dor do peixe pode levar ele à loucura.

Depois de um tempo o peixe parou de bater na linha condutora e recomeçou a nadar lentamente em círculos. O velho agora recuperava a linha com constância. Mas ele se sentiu fraco de novo. Pegou um pouco de água do mar com a mão esquerda e jogou na cabeça. Em seguida pegou mais e esfregou na nuca.

— Não estou com cãibras — falou. — Logo ele vai subir e eu consigo aguentar. Você vai ter que aguentar. Nem fale nisso.

Ele se ajoelhou na proa e, por um instante, passou a linha sobre a cabeça outra vez. Vou descansar agora enquanto ele nada em círculos e depois levanto e lido com ele quando se aproximar, o velho decidiu.

Era uma grande tentação descansar na proa e deixar o peixe fazer um círculo sozinho sem recolher nada da linha. Mas quando a tensão mostrou que o peixe tinha se virado na direção do barco, o velho ficou de pé e começou a girar o corpo e a puxar toda a linha que tinha recuperado.

Nunca estive tão cansado, pensou, e agora está começando a soprar o vento alísio. Mas isso vai ser bom para trazer o peixe para o barco. Preciso muito disso.

— Vou descansar da próxima vez quando o peixe se afastar — falou. — Me sinto muito melhor. Daí, com mais umas duas ou três voltas eu pego ele.

O chapéu de palha estava caído para trás sobre a nuca e ele se meteu debaixo da proteção da proa ao puxar a linha enquanto sentia o peixe virar.

Trabalhe agora, peixe, ele pensou. Pego você na outra volta.

O nível do mar tinha subido consideravelmente. Mas a brisa estava agradável e ele precisava do vento para ir para casa.

— Vou só virar para o sul e para o oeste — disse ele. — Um homem nunca está perdido no mar e a ilha é comprida.

Foi na terceira volta que ele viu o peixe.

Ele viu o peixe inicialmente como uma sombra escura que demorou tanto para passar sob o barco que ele não podia acreditar no seu comprimento.

— Não — falou. — Ele não pode ser tão grande.

Mas o peixe era mesmo daquele tamanho e, no fim desse círculo, ele veio à superfície a apenas trinta metros de distância e o homem viu a cauda dele fora da água. Era mais alta do que a lâmina de uma foice e era de um tom de lavanda bem claro acima da água azul-escura. Ele desceu de novo e, enquanto o peixe nadava logo abaixo da superfície, o velho via sua corpulência e as listras roxas nas laterais. A nadadeira dorsal estava para baixo e as imensas nadadeiras peitorais estavam bem abertas.

Nesta volta, o velho pôde ver os olhos do peixe e as duas rêmoras cinza que nadavam em volta dele. Às vezes, elas se uniam ao peixe. Às vezes, saíam em disparada. Às vezes, nadavam tranquilamente à sombra dele. Ambas tinham mais de um metro de comprimento e quando nadavam rápido agitavam o corpo inteiro como enguias.

O velho suava agora, mas não por causa do sol. A cada volta que o peixe fazia placidamente ele recuperava mais linha, e tinha certeza de que em mais duas voltas teria uma chance de usar o arpão.

Mas preciso trazer o peixe para bem perto, bem perto, bem perto, pensou. Não devo mirar na cabeça. Preciso acertar o coração.

— Fique calmo e seja forte, velho — disse.

Na volta seguinte, o dorso do peixe estava para fora, mas ele estava um pouco distante do barco. Na volta depois dessa ele continuava longe demais, mas estava mais alto na superfície da água e o velho tinha certeza de que recolhendo um pouco mais de linha poderia trazer o peixe para a lateral do barco.

Ele estava com o arpão pronto fazia muito tempo e o rolo de corda leve estava num cesto redondo e a ponta presa ao pino de amarração da proa.

O peixe se aproximava em seu círculo, agora calmo e belo, movendo apenas a cauda. O velho puxou toda a linha que conseguiu para trazê-lo para perto. Só por um instante o peixe virou um pouco, ficando de lado. Depois voltou para a vertical e começou mais um círculo.

— Eu virei o peixe — disse o velho. — Virei o peixe.

O velho se sentiu fraco de novo, mas agora mantinha o peixe com toda a força que restava. Eu virei o peixe, ele pensou. Talvez dessa vez eu consiga trazer ele para perto. Puxem, mãos, pensou. Força, pernas. Aguente firme, cabeça. Aguente firme. Você nunca me abandonou. Dessa vez eu trago o peixe para perto.

Mas quando ele colocou todo o esforço possível, começando bem antes de o peixe chegar perto e puxando com toda a força, o peixe fez força para o outro lado, depois se endireitou na água e nadou para longe.

— Peixe — disse o velho. — Peixe, você vai ter que morrer de qualquer jeito. Você tem que me matar também?

Desse jeito não se chega a lugar nenhum, pensou. Sua boca estava seca demais para falar, mas ele não conseguiria chegar até a água agora. Preciso trazer ele para a lateral do barco dessa vez, pensou. Não vou aguentar mais muitas voltas. Sim, você vai aguentar. Você aguenta quanto for preciso.

Na volta seguinte ele quase conseguiu. Mas, de novo, o peixe se endireitou na água e se afastou devagar.

Você está me matando, peixe, o velho pensou. Mas você tem esse direito. Nunca vi nada maior, ou mais bonito, ou mais calmo ou mais nobre do que você, meu irmão. Vamos, pode vir me matar. Pra mim tanto faz quem vai matar quem.

Agora sua cabeça está ficando confusa, ele pensou. Você precisa manter a cabeça no lugar. Mantenha a cabeça no lugar e saiba sofrer como um homem. Ou como um peixe, pensou.

— Pense direito, cabeça — disse numa voz que mal conseguiu ouvir. — Pense direito.

Por mais duas voltas foi tudo igual.

Não sei, o velho pensou. Ele tinha estado a ponto de achar que ia desmaiar todas as vezes. Não sei. Mas vou tentar mais uma.

Ele tentou mais uma e sentiu que ia desmaiar quando virou o peixe. O peixe se endireitou e nadou devagar de novo para longe com a grande cauda agitando no ar.

Vou tentar de novo, o velho prometeu, embora a essa altura as mãos estivessem moles e ele só conseguisse ver bem em clarões.

Ele tentou de novo e o resultado foi o mesmo. Então, pensou, e sentiu que ia desmaiar antes de começar, vou tentar mais uma vez.

O velho pegou toda a dor que sentia e o que restava de suas forças e do orgulho que tinha perdido havia muito e usou contra a agonia do peixe, e o peixe se aproximou da lateral do barco e nadou suavemente ao lado dele, o espadim quase tocando as tábuas do barco, e começou a passar por ele, longo, profundo, largo, prateado e listrado de roxo e interminável na água.

O velho largou a linha e colocou o pé sobre ela e ergueu o arpão o mais alto que conseguiu e o arremessou para baixo, com toda a sua força e com a força extra que acabara de invocar, na lateral do peixe, logo atrás da grande nadadeira do peito que já se elevava bastante no ar, até a altura do peito de um homem. Ele sentiu o aço entrando e se debruçou sobre ele e o enfiou mais no peixe e depois empurrou o arpão com todo o seu peso.

Então o peixe reviveu, com a morte dentro de si, e se elevou acima da água mostrando todo o seu grande comprimento, sua largura, sua força e sua beleza. Ele pareceu pairar no ar acima do velho no barco. Depois caiu com um choque que espirrou água no corpo do homem e pelo barco todo.

O velho se sentiu fraco e nauseado e não estava enxergando bem. Mas soltou a linha do arpão e deixou que ela corresse devagar por suas mãos em carne viva e, quando conseguiu enxergar, viu que o peixe estava de costas com a barriga prateada para cima. A haste do arpão se projetava num ângulo da espádua do peixe e o mar estava sendo tingido com o vermelho do sangue do coração dele. Primeiro era escuro, como um banco de areia na água com mais de um quilômetro e meio de profundidade. Depois a cor se espalhou como uma nuvem. O peixe era prateado e estava imóvel e flutuava com as ondas.

O velho prestou atenção ao breve vislumbre que teve. Depois deu duas voltas com a corda do arpão no pino de amarração da proa e apoiou a cabeça nas mãos.

— Tenho que manter a cabeça funcionando bem — disse ele contra a madeira da proa. — Sou um velho cansado. Mas matei esse peixe que é meu irmão e preciso fazer o trabalho duro.

Agora tenho que preparar os laços e a corda para prender o peixe na lateral do barco, pensou. Mesmo se a gente estivesse em dois e inundasse o barco para receber o peixe e depois baldeasse a água, esse barco aqui jamais aguentaria. Preciso preparar tudo, depois trazer o peixe para perto e prender bem e colocar o mastro e partir para casa.

Ele começou a puxar o peixe para que ficasse na lateral do barco; assim daria para passar uma linha pelas guelras e pela boca e prender a cabeça na proa. Quero ver de perto, pensou, e tocar nele, sentir o peixe. Ele é minha fortuna, pensou. Mas não é por isso que quero tocar nele. Acho que senti o coração dele, pensou. Quando empurrei a haste do arpão pela segunda vez. Traga o peixe para perto e o prenda e ponha o laço na cauda e outro laço no meio para ele ficar colado no barco.

— Ao trabalho, velho — disse. Ele tomou um gole minúsculo de água. — Tem muito trabalho duro para ser feito agora que a luta acabou.

Ele olhou para o céu e depois para o peixe. Olhou para o sol com cuidado. Não passa muito do meio-dia, pensou. E o vento alísio está soprando. As linhas agora não servem para nada. O menino e eu podemos fazer as emendas quando a gente estiver em casa.

— Vamos, peixe — disse ele.

Mas o peixe não foi. Em vez disso, ficou ali, boiando no mar, e o velho puxou o barco até chegar a ele.

Quando ficou nivelado com o peixe e prendeu a cabeça dele na proa, o velho não conseguiu acreditar no tamanho do animal. Mas desatou a linha do arpão do pino de amarração, passou pelas guelras do peixe e amarrou as mandíbulas por fora, deu uma volta no espadim e fez um nó na corda dupla e a prendeu no pino da proa. Depois cortou a corda e foi para a popa prender a cauda no laço. O peixe tinha passado do roxo e prata originais para somente prata, e as listras tinham o tom violeta-claro da cauda. Elas eram mais largas que a mão de um homem com os dedos espraiados e os olhos do peixe estavam esbugalhados como os espelhos de um periscópio ou como um santo em procissão.

— Foi o único jeito de matar o peixe — disse o velho.

Ele estava se sentindo melhor depois da água e sabia que não ia desmaiar e que a cabeça estava funcionando bem. Tem mais de seiscentos quilos assim como está, pensou. Talvez muito mais. E se render dois terços disso a setenta centavos por quilo?

— Preciso de um lápis pra isso — disse ele. — Minha cabeça não está tão boa. Mas acho que o grande DiMaggio ficaria orgulhoso de mim hoje. Não tive esporões no calcanhar. Mas as mãos e as costas estão doendo de verdade.

Fico me perguntando o que é um esporão do calcanhar, pensou. Pode ser que a gente tenha e nem saiba.

Ele prendeu o peixe à proa e à popa e ao banco central. O peixe era tão grande que era como prender um barco muito maior a um menor. O velho cortou um pedaço de linha e amarrou a mandíbula inferior do peixe ao espadim para que a boca não abrisse e eles navegassem com a maior tranquilidade possível. Depois colocou o mastro no lugar e, com o pau que usava como gancho e com a retranca armada, a vela remendada se abriu, o barco começou a se mover, e meio deitado na popa, o velho navegou para sudoeste.

Ele não precisava de bússola para saber onde ficava o sudoeste. Bastavam a sensação do vento alísio e o arrasto da vela. Seria bom eu colocar uma linha pequena na água com uma isca artificial para tentar pegar algo para comer e me hidratar. Mas ele não encontrou iscas artificiais e as sardinhas estavam podres. Então pegou com o gancho uma porção de algas amarelas do Golfo que vinham passando e sacudiu para que os pequenos camarões presos nela caíssem nas tábuas do barco. Havia mais de uma dúzia deles e saltavam e se batiam como pulgas-do-mar. O velho tirou a cabeça deles com o polegar e o indicador e comeu todos, com casca e rabo. Eram diminutos, mas ele sabia que eram nutritivos e que tinham um gosto bom.

O velho ainda tinha o equivalente a dois goles de água na garrafa e tinha bebido metade de um depois de comer os camarões. O barco navegava bem apesar dos problemas e ele guiava o barco com o leme que estava debaixo do braço. Dava para ver o peixe ali e ele só precisava olhar para suas mãos e sentir as costas contra a popa para saber que aquilo tinha mesmo acontecido e que não era um sonho. A certa altura, quando se sentia realmente mal perto do fim, ele chegou a pensar que talvez fosse um sonho. Depois, quando viu o peixe sair da água e pairar inerte no ar antes de cair, teve certeza de que havia algo muito estranho naquilo e não conseguiu acreditar. O velho não estava vendo bem naquela hora, embora enxergasse perfeitamente agora.

Ele sabia que o peixe existia e que suas mãos e costas não eram um sonho. As mãos saram rápido, pensou. Tirei o sangue, e a água salgada vai curá-las. Nada tem um poder curativo igual ao da água escura do Golfo verdadeiro. Tudo que tenho a fazer é manter a cabeça no lugar. As mãos fizeram seu trabalho e estamos navegando bem. Com a boca fechada e a cauda erguida na vertical navegamos como irmãos. Depois a cabeça ficou um pouco confusa e ele pensou, é ele que está me levando, ou sou eu que o levo? Se eu estivesse rebocando o peixe atrás do barco não haveria dúvida. Nem se o peixe estivesse no barco, com toda a sua dignidade perdida; nesse caso também não haveria dúvidas. Mas eles estavam navegando juntos, lado a lado, e o velho pensou, deixe que ele me leve, se prefere assim. Só ganhei dele porque usei truques e ele não me queria mal.

Eles navegavam bem e o velho molhou as mãos na água salgada e tentou manter a cabeça no lugar. Havia nuvens cumulus altas e cirrus suficientes sobre eles para o velho saber que a brisa iria durar a noite toda. O velho olhava para o peixe constantemente para ter certeza de que era real. Uma hora se passou até o primeiro tubarão atacar.

O tubarão não foi um acidente. Ele surgiu das profundezas quando a nuvem escura de sangue se formou e se dispersou pelo oceano com um quilômetro e meio de profundidade. Veio tão rápido e com tão pouca cautela que rompeu a superfície da água azul e se expôs ao sol. Depois o tubarão caiu de volta no mar e sentiu o cheiro e começou a nadar na direção que o barco e o peixe tinham tomado.

Por vezes ele perdia o cheiro. Mas logo o captava de novo, ou simplesmente um vestígio dele, e nadava rápido e com empenho naquela direção. Era um grande tubarão-mako, feito para nadar tão rápido quanto o mais rápido peixe no mar, e tudo nele era lindo, exceto as mandíbulas. O dorso era tão azul quanto o de um peixe-espada, e a barriga era prateada, e a pele era macia e bonita. Ele tinha a compleição de um peixe-espada exceto pelas imensas mandíbulas que estavam bem cerradas enquanto nadava rápido, pouco abaixo da superfície, com a alta barbatana dorsal cortando a água como faca sem titubear. Dentro dos lábios duplos fechados de suas mandíbulas as oito fileiras de dentes se inclinavam para dentro. Não eram os dentes comuns em forma de pirâmide da maior parte dos tubarões. Aqueles dentes tinham o formato dos dedos de um homem quando crispados em garra. Eram quase tão longos quanto os dedos do velho e tinham bordas que cortavam como lâminas dos dois lados. Esse era um peixe feito para se alimentar de todos os outros do mar, um animal tão rápido e forte e bem armado que não tinha inimigos. De repente acelerou ao sentir o perfume mais fresco, e a barbatana dorsal azul cortou a água.

Quando o velho viu o animal vindo, soube que aquele era um tubarão destemido e que ia fazer exatamente o que queria. Ele preparou o arpão e amarrou a corda enquanto observava o tubarão se aproximar. A corda estava curta, pois faltava o pedaço que ele havia cortado para prender o peixe.

A cabeça do velho estava funcionando bem agora e ele estava determinado, mas tinha pouca esperança. Aquilo era bom demais para durar, pensou. Ele deu uma olhada no grande peixe enquanto via o tubarão se aproximar. Daria na mesma se tivesse sido um sonho, pensou. Não tenho como impedir que ataque o barco, mas talvez consiga pegar o bicho. *Dentuso*, pensou. Azar da tua mãe.

O tubarão se aproximou rápido da popa e, quando atingiu o peixe, o velho viu a boca dele se abrir e os olhos estranhos e o estalar dos dentes enquanto avançava na carne logo acima da cauda. A cabeça do tubarão estava fora da água e o dorso emergia e o velho conseguiu ouvir o ruído da pele e da carne do grande peixe rasgando quando arremessou o arpão para baixo, na cabeça do tubarão, em um ponto onde a linha entre os olhos do bicho cruzava com a linha que saía direto da parte posterior do nariz. Essas linhas não existiam. O que existia era apenas a cabeça azul pesada e afilada e os olhos grandes e as mandíbulas que estalavam e devoravam tudo. Mas era lá que ficava o cérebro, então foi ali que mirou. Mirou com as mãos ensanguentadas, arremessando um bom arpão com toda a sua força. Ele acertou o local sem esperança mas com determinação e absoluta maldade.

O tubarão girou, e o velho viu que não havia vida em seus olhos, e depois girou mais uma vez, se enroscando em duas voltas da corda. O velho sabia que ele estava morto, mas o tubarão se recusava a aceitar isso. Depois, de costas, com a cauda batendo e as mandíbulas abrindo e fechando, o tubarão cortou a água como uma lancha. A água estava branca onde a cauda se debatia e três quartos do corpo estavam acima da superfície quando a corda esticou, tremeu, e depois se rompeu. O tubarão ficou parado por um instante na superfície e o velho o observava. Depois afundou devagar.

— Ele levou uns vinte quilos — disse o velho.

Também levou meu arpão e toda a corda, pensou, e agora meu peixe está sangrando de novo e virão outros.

Ele não gostava mais de olhar para o peixe, agora que estava mutilado. Quando o peixe foi atacado, foi como se ele próprio tivesse sido atacado.

Mas matei o tubarão que atacou meu peixe, ele pensou. E foi o maior *dentuso* que já vi. E Deus sabe que vi uns bem grandes.

Era bom demais para durar, ele pensou. Queria que tivesse sido um sonho e que eu nunca tivesse fisgado o peixe e estivesse sozinho na cama deitado em cima dos jornais.

— Mas o homem não foi feito para a derrota — disse ele. — Um homem pode ser destruído, mas não derrotado.

Mas é uma pena eu ter matado o peixe, ele pensou. Agora o mau tempo está chegando e nem tenho o arpão. O *dentuso* é cruel e hábil e forte e inteligente. Mas fui mais inteligente do que ele. Talvez não, pensou. Talvez eu só estivesse mais bem armado.

— Não pense, velho — disse ele. — Navegue nesse curso e lide com o que vier pela frente.

Mas tenho que pensar, refletiu. Porque é só o que me restou. Isso e o beisebol. Será que o grande DiMaggio ia gostar do jeito como acertei o tubarão na cabeça? Não foi grande coisa, pensou. Qualquer um faria isso. Mas será que minhas mãos são um problema tão grave quanto o esporão no calcanhar? Não tenho como saber. Nunca tive problema no calcanhar, fora aquela vez que levei uma ferroada de uma arraia quando pisei nela nadando e fiquei com a parte de baixo da perna toda paralisada e a dor foi insuportável.

— Pense em alguma coisa alegre, velho — disse ele. — A cada minuto que passa você está mais perto de casa. E navega mais leve agora depois de perder vinte quilos.

Ele sabia exatamente o padrão do que podia acontecer quando chegasse à parte interna da corrente. Mas agora não havia nada que pudesse fazer.

— Tem uma coisa sim — disse ele. — Posso amarrar a minha faca na ponta de um dos remos.

Então fez isso com a cana do leme debaixo do braço e a escota da vela debaixo do pé.

— Pois bem — disse ele. — Ainda sou um velho. Mas não estou desarmado.

A brisa era refrescante e ele navegava bem. Via apenas a parte dianteira do peixe, e um pouco de sua esperança voltou.

É tolice não ter esperança, pensou. Além disso, acho que é pecado. Não pense em pecado, refletiu. Já existem problemas suficientes agora sem pecado. Além do mais, não entendo nada do assunto.

Não entendo nada do assunto e não tenho certeza se acredito nele. Talvez tenha sido pecado matar o peixe. Acho que foi, mesmo que eu tenha feito isso pra sobreviver e alimentar bastante gente. Mas aí tudo é pecado. Não pense em pecado. É tarde demais e tem gente que é paga para fazer isso. Eles que pensem no assunto. Você nasceu pra ser pescador da mesma forma que o peixe nasceu pra ser peixe. San Pedro era pescador, assim como o pai do grande DiMaggio.

Mas ele gostava de pensar em todas as coisas em que estava envolvido e como não tinha nada para ler nem rádio, pensava muito e continuou refletindo sobre o pecado. Você não matou o peixe só pra sobreviver e pra vender em troca de comida, pensou. Matou por orgulho e porque é pescador. Você amou o peixe quando ele estava vivo e amou depois. Se você ama o peixe, não é pecado matar o bicho. Ou seria um pecado ainda maior?

— Você pensa demais, velho — disse ele.

Mas você gostou de matar o *dentuso*, pensou. Ele vive dos peixes vivos, assim como você. Não é um carniceiro ou um simples apetite ambulante como alguns tubarões. Ele é belo e nobre e não tem medo de nada.

— Matei o tubarão em legítima defesa — disse o velho. — E matei bem.

Além disso, pensou, tudo mata tudo mais de alguma forma. Pescar me mata exatamente do mesmo jeito que me mantém vivo. O menino me mantém vivo, pensou. Não devo me iludir demais.

Ele se debruçou sobre a amurada e pegou um pedaço de carne que já estava solta no lugar onde o tubarão tinha mordido. Mastigou e sentiu a qualidade e o gosto bom. Era firme e suculenta, como carne bovina, mas não era vermelha. Não havia rigidez nela e ele sabia que aquele peixe conseguiria o melhor preço do mercado. Mas não havia como manter o cheiro dele fora da água e o velho sabia que tempos muito difíceis estavam por vir.

A brisa era constante. O vento tinha recuado um pouco mais para nordeste e ele sabia que isso queria dizer que continuaria soprando. O velho olhou à sua frente mas não viu velas, nem o casco, nem a fumaça de algum navio. Só havia os peixes-voadores que subiam na proa e que se afastavam nadando para os dois lados e os trechos amarelos de algas do golfo. Ele não via um pássaro sequer.

Estava navegando havia duas horas, apoiado na popa e às vezes comendo um pedaço de carne do marlim, tentando descansar e se manter forte, quando viu o primeiro dos dois tubarões.

— *Ay* — disse ele.

Essa palavra é intraduzível e talvez seja apenas um ruído que o homem pode fazer, involuntariamente, ao sentir o prego atravessar sua mão e entrar na madeira.

— *Galanos* — disse ele.

Ele tinha visto a segunda barbatana chegando atrás da primeira e identificou os dois como tubarões-viola pela barbatana marrom e triangular e pelos movimentos amplos da cauda. Eles sentiram o cheiro e ficaram inebriados e, com a inteligência embotada pela fome imensa, perdiam e encontravam o cheiro, de tão agitados. Mas o tempo todo os dois se aproximavam.

O velho amarrou a escota e travou a cana do leme. Depois pegou o remo com a faca presa na ponta. Ele ergueu o remo da maneira mais suave possível porque as mãos se rebelavam por causa da dor. Depois abriu e fechou as mãos suavemente sobre o remo para que ficassem mais flexíveis. Ele fechou as mãos com força para que elas sentissem a dor agora e não vacilassem e ficou vendo os tubarões se aproximarem. Dava para ver as cabeças grandes, chatas, em forma de pá e as grandes nadadeiras peitorais com suas pontas brancas. Eram tubarões odiosos, fedorentos, carniceiros além de assassinos, e quando sentiam fome mordiam remos ou o leme de um barco. Eram esses tubarões que cortavam as pernas e as nadadeiras das tartarugas quando elas estavam dormindo na superfície, e mordiam um homem na água, se sentissem fome, ainda que o homem não tivesse cheiro de sangue de peixe nem vestígios de peixe nele.

— *Ay* — disse o velho. — *Galanos*. Venham, *galanos*.

Eles foram. Mas não foram do mesmo modo que o tubarão-mako. Um deles virou e saiu do campo de visão embaixo do barco e o velho sentiu tudo balançar quando o bicho pegou o peixe e puxou. O outro ficou observando o velho com seus olhinhos amarelos e depois se aproximou rápido com as mandíbulas em semicírculo bem abertas para pegar o peixe onde já tinha sido mordido. A linha estava bem visível no topo de sua cabeça marrom e atrás onde o cérebro se unia à medula espinhal e o velho enfiou o remo com a faca na junção, puxou de volta, e enfiou de novo nos olhos de gato amarelos do tubarão. O tubarão soltou o peixe e deslizou para baixo, engolindo o que havia abocanhado enquanto morria.

O barco continuava sacudindo com a destruição que o outro tubarão estava causando no peixe e o velho soltou a escota de modo que o barco se mexesse lateralmente e fizesse o tubarão sair de baixo. Quando viu o tubarão, ele se debruçou sobre a amurada e enfiou a faca nele. O velho acertou apenas carne e a pele era dura e a faca mal entrou. O golpe machucou não só as mãos dele, como também o ombro. Mas o tubarão subiu rápido com a cabeça para fora e o velho o acertou direto no meio da cabeça chata quando o nariz saiu da água e encostou no peixe. O velho retirou a lâmina e perfurou o tubarão exatamente no mesmo lugar outra vez. Ele continuava pendurado no peixe pelas mandíbulas e o velho furou o olho esquerdo. O tubarão continuou pendurado ali.

— Não? — disse o velho e enfiou a lâmina entre as vértebras e o cérebro. Esse foi um golpe fácil e ele sentiu a cartilagem romper. O velho puxou o remo e colocou a lâmina entre as mandíbulas do tubarão para abri-las. Ele torceu o remo e, enquanto o tubarão escorregava, ele disse: — Vá, *galano*. Afunde por um quilômetro e meio. Vá ver o teu amigo, ou talvez seja a tua mãe.

O velho limpou a lâmina da faca e soltou o remo. Depois encontrou a escota, e a vela se enfunou, e ele colocou o barco em seu curso.

— Devem ter levado um quarto do peixe, e da melhor carne — disse ele. — Quem me dera tivesse sido um sonho e eu nunca tivesse fisgado esse peixe. Sinto muito por isso, peixe. Estragou tudo.

Ele parou e não quis olhar para o peixe naquele momento. Com o sangue drenado e encharcado, ele tinha a cor prateada do verso de um espelho e suas listras ainda apareciam.

— Eu não devia ter vindo tão longe, peixe — disse ele. — Nem por você, nem por mim. Perdão, peixe.

Agora, ele disse para si mesmo. Dê uma olhada na corda que prende a faca e veja se foi cortada. Depois cuida da tua mão porque ainda vem mais por aí.

— Quem me dera ter uma pedra para a faca — disse o velho depois de verificar a amarração no remo. — Eu devia ter trazido uma pedra.

Você devia ter trazido muitas coisas, pensou. Mas não trouxe, velho. Agora é hora de pensar naquilo que você tem. Pense no que pode fazer com o que está aqui.

— Você me dá conselhos demais — disse ele. — Cansei disso.

Ele segurou a cana do leme com o braço e enfiou as duas mãos na água enquanto o barco seguia em frente.

— Só Deus sabe quanto este último levou — disse ele. — Mas agora o barco está bem mais leve.

O velho não queria pensar na parte inferior do peixe, que estava mutilada. Sabia que cada solavanco do tubarão era carne arrancada e que o peixe agora criava no mar um rastro da largura de uma estrada para todos os tubarões.

Era um peixe para manter um homem durante todo o inverno, refletiu. Não pense nisso. Só descanse e tente dar um jeito nessas mãos para defender o que sobrou dele. O cheiro de sangue delas não é nada comparado a todo aquele cheiro na água. Além disso, nem estão sangrando muito. Não tem nenhum corte importante. O sangramento pode impedir que a mão esquerda tenha cãibra.

No que eu posso pensar agora?, ele se perguntou. Nada. Melhor não pensar em nada e esperar os próximos. Realmente queria que tivesse sido um sonho, pensou. Mas, quem sabe? Podia ter acabado bem.

O próximo tubarão que apareceu foi um tubarão-viola solitário. Veio como um porco que vai até o cocho, se um porco tivesse uma boca grande o suficiente para você colocar a cabeça dentro. O velho deixou que ele mordesse o peixe e enfiou a faca que estava na ponta do remo em seu cérebro. Mas o tubarão puxou a cabeça para trás enquanto rolava e a faca quebrou.

O velho se preparou para guiar o barco. Ele nem chegou a ver o grande tubarão afundando devagar na água, primeiro mostrando seu tamanho real, depois parecendo pequeno, depois minúsculo. Isso sempre fascinava o velho. Mas dessa vez ele nem ficou assistindo.

— Agora tenho o gancho — disse ele. — Mas isso não serve para nada. Tenho os dois remos e a cana do leme e o porrete.

Agora me venceram, ele pensou. Estou velho demais para matar um tubarão com um porrete. Mas vou tentar enquanto tiver os remos e o porrete e a cana do leme.

Ele colocou as mãos na água para molhá-las. A tarde ia chegando ao fim e ele só via o mar e o céu. O vento tinha aumentado, e ele esperava logo ver a terra firme.

— Você está cansado, velho — disse ele. — Está cansado por dentro.

Os tubarões não voltaram a atacar até pouco antes do pôr do sol.

O velho viu as barbatanas marrons vindo pelo largo rastro que o peixe obrigatoriamente deixava na água. Eles não estavam nem procurando o cheiro. Iam direto para o barco nadando lado a lado.

Ele travou a cana do leme, prendeu a escota da vela e pegou o porrete debaixo da proteção da popa. Era o cabo de um remo partido serrado para ficar mais ou menos com oitenta centímetros de comprimento. Pela forma do cabo, ele só conseguia usá-lo de maneira eficiente com uma das mãos e segurou firme a madeira com a mão direita, flexionando-a sobre o porrete, enquanto via os tubarões chegarem. Eram dois *galanos*.

Tenho que deixar o primeiro dar uma boa mordida e aí dar na ponta do nariz ou no topo da cabeça, pensou.

Os dois tubarões se aproximaram e quando o velho viu o que estava mais perto abrir as mandíbulas e cravá-las na lateral prateada do peixe, ergueu o porrete e desceu com força na cabeça larga do tubarão. Ele sentiu a solidez elástica do porrete baixando. Mas sentiu também a rigidez do osso e bateu forte outra vez na ponta do nariz do tubarão enquanto ele deslizava para baixo, afastando-se do peixe.

O outro tubarão ia e vinha e então voltou para perto do barco com as mandíbulas escancaradas. O velho viu pedaços de carne do peixe transbordando brancas pelo canto da boca enquanto ele mordia o peixe e cerrava as mandíbulas. Agitou o porrete no ar e bateu apenas na cabeça e o tubarão olhou para ele e arrancou a carne. O velho bateu com o porrete nele outra vez enquanto se afastava para engolir e bateu apenas na pesada e sólida elasticidade.

— Venha, *galano* — disse o velho. — Volte aqui.

O tubarão veio rápido e o velho acertou o bicho quando ele fechava as mandíbulas. Ergueu o braço o mais alto que pôde e acertou o bicho em cheio. Dessa vez sentiu o osso na base do cérebro e bateu nele de novo no mesmo lugar enquanto o tubarão arrancava a carne do peixe lentamente e mergulhava para longe dele.

O velho ficou observando para ver se voltariam, mas nenhum dos tubarões apareceu. Depois viu um dos dois na superfície, nadando em círculos. Não viu a barbatana do outro.

Não dava pra imaginar que eu ia matar os tubarões, pensou. No meu tempo talvez eu conseguisse. Mas machuquei bem os dois e nenhum deles está se sentindo muito bem. Se eu conseguisse usar um porrete com as duas mãos com certeza poderia ter matado o primeiro. Mesmo hoje, pensou.

O velho não queria olhar para o peixe. Ele sabia que metade do animal tinha sido destruída. O sol vinha se pondo enquanto ele lutava com os tubarões.

— Logo vai escurecer — disse ele. — Aí vou ver o brilho de Havana. Se eu estiver muito a leste, vou ver as luzes de uma das praias novas.

Não devo estar muito longe agora, pensou. Espero que ninguém tenha ficado preocupado demais. Só tem o menino para se preocupar, lógico. Mas tenho certeza de que ele ia manter a confiança. Muitos dos pescadores mais velhos vão se preocupar. Muitos outros também, ele pensou. Moro numa cidade boa.

Ele já não podia falar com o peixe porque tinha sido danificado demais. Então algo passou por sua cabeça.

— Meio peixe — disse ele. — O peixe que você foi. Desculpe por ter ido tão longe. Causei a ruína de nós dois. Mas matamos vários tubarões, você e eu, e machucamos vários outros. Quantos você já tinha matado, peixe velho? Não é à toa que você tem essa espada na cabeça.

Ele gostou de pensar no peixe e no que poderia fazer com um tubarão se estivesse nadando livremente. Eu devia ter arrancado o espadim para lutar com eles, o velho pensou. Mas eu não tinha uma machadinha e também não tinha faca.

Mas se tivesse arrancado, e pudesse prender o espadim no cabo de um remo, seria uma arma e tanto. Aí nós dois teríamos lutado juntos contra eles. O que você vai fazer agora se vierem à noite? O que você pode fazer?

— Lutar com eles — falou. — Vou lutar com eles até morrer.

Porém, em meio à escuridão agora e sem brilho à vista e sem luz alguma e tendo apenas o vento e a vela que o levavam adiante constantemente, ele sentiu que talvez já estivesse morto. O velho juntou as mãos e sentiu as palmas. Elas não estavam mortas e ele sentia a dor da vida simplesmente abrindo e fechando as mãos. Ele se recostou na popa e soube que não estava morto. Seus ombros lhe disseram isso.

Tenho que recitar todas aquelas orações que prometi caso pegasse o peixe, pensou. Mas estou cansado demais para rezar agora. Melhor pegar aquele saco e cobrir os ombros com ele.

Ele se deitou na popa e guiou o barco e procurou com os olhos o brilho que apareceria no céu. Tenho metade dele, o velho pensou. Talvez eu tenha a sorte de levar metade até a praia. Eu devo ter um pouco de sorte. Não, ele disse. Você violou a sua sorte quando foi longe demais.

— Não seja bobo — disse ele. — E fique acordado e guie o barco. Pode ser que você tenha muita sorte ainda. Queria comprar um pouco se tivesse um lugar que vendesse — disse ele.

Com o que eu poderia comprar?, ele se perguntou. Será que eu conseguiria comprar com um arpão perdido e uma faca quebrada e duas mãos em mau estado?

— Pode ser — falou. — Você tentou comprar com oitenta e quatro dias no mar. E quase te venderam.

Melhor não pensar bobagem, refletiu. A sorte é uma coisa que vem em muitas formas, e quem vai saber como reconhecer? Mas eu bem que aceitava um pouco na forma que viesse e pagava o quanto pedissem. Queria ver o brilho das luzes, pensou. Quero coisas demais. Mas isso é o que eu quero por enquanto. Tentou se acomodar de um jeito mais confortável para guiar o barco e, pela dor, sabia que não estava morto.

Ele viu o brilho refletido das luzes da cidade por volta do que deviam ser dez da noite. De início elas só eram perceptíveis como a luz no céu antes de a lua nascer. Depois se tornaram constantes e podiam ser vistas através do oceano que agora ficava encapelado com o vento mais forte. Ele guiou o barco para o brilho e pensou que em pouco tempo deveria chegar à beira da corrente.

Agora acabou, pensou. Provavelmente vão me atacar de novo. Mas o que um homem pode fazer contra eles no escuro e desarmado?

Ele estava com os músculos rígidos e doloridos, e as feridas e todas as partes distendidas do corpo doíam com o frio da noite. Tomara que eu não precise lutar de novo, pensou. Realmente torço muito para não ter que lutar de novo.

Mas, perto da meia-noite ele lutou, e, dessa vez, soube que a luta seria inútil. Vieram em bando e ele só conseguia ver na água as linhas que as barbatanas faziam e a fosforescência dos tubarões à medida que se atiravam sobre o peixe. Ele deu com o porrete em cabeças e ouviu mandíbulas cortarem e sentiu o balanço do barco enquanto mordiam o peixe ali embaixo. Ele bateu desesperadamente em algo que só conseguia sentir e ouvir e sentiu algo agarrar o porrete e levar embora.

Com um puxão, tirou a cana do leme e bateu e cortou com ela, segurando-a com as duas mãos e baixando a cana várias e várias vezes. Mas eles estavam na proa agora e vinham um em seguida do outro e juntos, rasgando pedaços de carne que cintilavam lá embaixo no mar quando se viravam para atacar mais uma vez.

Um veio, por fim, na direção da cabeça e ele soube que tinha acabado. Ele bateu com a cana na cabeça do tubarão no lugar em que as mandíbulas estavam presas na solidez da cabeça do peixe, que não se desprendia. O velho bateu uma vez e duas e depois outra. Ele ouviu a cana quebrar e se atirou sobre o tubarão com a parte lascada que restou em sua mão. Foi possível sentir o pedaço da cana entrar e, sabendo que era afiado, o velho baixou-o de novo. O tubarão soltou o peixe e se afastou. Foi o último tubarão do bando que atacou. Não havia mais nada para comer.

O velho mal conseguia respirar e sentiu um gosto estranho na boca. Era um gosto de cobre e ao mesmo tempo doce e por um instante ele teve medo daquilo. Mas não durou muito.

Ele cuspiu no oceano e disse:

– Comam isso, *galanos*. E sonhem que mataram um homem.

Ele sabia que finalmente estava derrotado de forma irremediável e voltou para a popa e viu que o pedaço lascado da cana encaixava bem o suficiente no leme para que pudesse guiar o barco. O velho acomodou o saco nos ombros e colocou o barco na rota. Agora o barco navegava suavemente e ele não pensava em nada, nem sentia nada. Agora tudo tinha ficado para trás e ele guiava o barco para chegar a seu porto do melhor jeito que pudesse, da maneira mais inteligente possível. À noite, os tubarões atacaram a carcaça como alguém que cata as migalhas da mesa. O velho não prestou atenção neles e não prestou atenção em mais nada, exceto no trajeto do barco. Ele só percebeu como o barco navegava leve e como seguia bem pelo mar agora que não tinha mais nenhum grande peso na sua lateral.

O barco está bem, pensou. Está intacto e não sofreu nada, exceto pela cana. Isso é fácil de substituir.

Dava para sentir que ele estava dentro da corrente agora e via as luzes das colônias da praia ao longo da orla. Sabia onde estava e não faltava quase nada para chegar em casa.

O vento é nosso amigo, de todo modo, pensou. Depois acrescentou, às vezes. E o grande mar com nossos amigos e nossos inimigos. E a cama, pensou. A cama é minha amiga. Só a cama, pensou. A cama vai ser uma coisa excelente. É fácil quando você está derrotado, pensou. Nunca soube como era fácil. E o que te derrotou, pensou.

— Nada — disse ele. — Fui longe demais.

Quando ele entrou no pequeno porto, as luzes do Terraço estavam apagadas e ele sabia que todos estavam dormindo. A brisa tinha aumentado e agora soprava forte. No entanto, o porto estava em silêncio e ele passou pelo trecho de cascalho sob as rochas. Não tinha ninguém para ajudar e por isso ele subiu com o barco até onde foi possível. Depois desceu dele e amarrou-o a uma pedra.

O velho retirou o mastro e enrolou a vela e a amarrou. Depois pôs o mastro no ombro e começou a subir. Foi aí que soube o quanto estava cansado. Ele parou por um instante e olhou para trás e, sob o reflexo da luz da rua, viu a grande cauda do peixe em pé bem para trás da popa do barco. Observou a linha branca e nua de sua espinha e a massa escura da cabeça com o espadim que se projetava e toda a nudez que havia nesse espaço.

O velho retomou a subida e no topo ele caiu e ficou deitado por um tempo com o mastro no ombro. Ele tentou se levantar. Mas foi difícil demais e ele ficou ali sentado com o mastro no ombro e olhou para a rua. Um gato passou do outro lado da rua cuidando da própria vida e o velho o observou. Depois ficou simplesmente olhando a rua.

Por fim, largou o mastro e ficou de pé. Depois de pegar o mastro, o velho colocou-o no ombro e seguiu pela rua. Ele precisou se sentar cinco vezes antes de chegar à cabana.

Dentro da cabana, encostou o mastro na parede. No escuro, encontrou uma garrafa de água e tomou um gole. Depois deitou na cama. Puxou a coberta até os ombros e depois sobre costas e pernas e dormiu de bruços sobre os jornais com os braços estendidos e as palmas das mãos viradas para cima.

Ele dormia quando o menino olhou pela porta de manhã. Ventava tanto que os barcos sem motor não iam sair e o menino dormiu até tarde e depois foi até a casa do velho como tinha feito toda manhã. O menino viu que o velho respirava e depois viu suas mãos e começou a chorar. Ele saiu sem fazer barulho para ir pegar café e chorou durante todo o caminho.

Muitos pescadores estavam em volta do barco olhando o que estava amarrado na lateral e um deles estava na água, calças arregaçadas, medindo o esqueleto com um pedaço de linha.

O menino não desceu. Ele tinha estado antes ali e um dos pescadores tomava conta do barco para ele.

— Como ele está? — gritou um dos pescadores.

— Dormindo — respondeu o menino. Ele não se importava que os outros vissem que estava chorando. — Não deixem ninguém ir lá incomodar o velho.

— Ele tinha cinco metros e meio do nariz até a cauda — gritou o pescador que media o peixe.

— Acredito — disse o menino. Ele entrou no Terraço e pediu uma lata de café. — Quente e com bastante leite e açúcar.

— Mais alguma coisa?

— Não. Depois vou ver o que ele consegue comer.

— Era um peixe e tanto — disse o dono. — Nunca houve um peixe assim. Aqueles dois peixes que vocês pescaram ontem também eram bons.

— Que se danem os meus peixes — disse o menino e começou a chorar de novo.

— Quer alguma coisa pra beber? — perguntou o dono.

— Não — disse o menino. — Diga pra não irem incomodar o Santiago. Depois eu volto.

— Diga pra ele que eu sinto muito.

— Obrigado — disse o menino.

O menino levou a lata de café para a cabana do velho e esperou até que ele acordasse. A certa altura pareceu que ele ia acordar. Mas voltou a dormir pesado e o menino atravessou a rua para pegar um pouco de lenha emprestada para esquentar o café.

Finalmente o velho acordou.

— Fique deitado — disse o menino. — Tome.

Ele serviu um pouco de café num copo.

O velho pegou e bebeu.

— Eles ganharam de mim, Manolin — falou. — Ganharam mesmo.

— *Ele* não ganhou de você. Não o peixe.

— Não. Verdade. Foi depois.

— O Pedrico está cuidando do barco e dos equipamentos. O que você quer que façam com a cabeça?

— O Pedrico que pique para usar em armadilha de pegar peixe.

— E o espadim?

— Pode ficar, se quiser.

— Eu quero — disse o menino. — Agora a gente tem que planejar o resto.

— Eles foram me procurar?

— Lógico. Com a Guarda-Costeira e com aviões.

— O oceano é muito grande e um barco pequeno é difícil de ver — disse o velho. Ele percebeu como era agradável ter alguém para conversar em vez de falar sozinho ou conversar com o mar. — Senti tua falta — disse ele. — O que você pegou?

— Um no primeiro dia. Um no segundo e dois no terceiro.

— Muito bom.

— Agora a gente vai pescar junto de novo.

— Não. Eu não tenho sorte. Não tenho mais sorte.

— Pro diabo com a sorte — disse o menino. — Eu levo a sorte comigo.

— O que a tua família vai dizer?

— Não ligo. Peguei dois peixes ontem. Mas a gente vai pescar junto porque ainda tenho muito a aprender.

— A gente tem que conseguir uma boa lança e deixar sempre a bordo. Dá pra fazer a lâmina com a suspensão de um Ford velho. A gente pode afiar em Guanabacoa. Tem que ser afiada e não temperada pra não quebrar. A minha faca quebrou.

— Vou arranjar outra faca e mandar afiar a suspensão. Quantos dias de brisa forte a gente tem?

— Talvez três. Talvez mais.

— Vou preparar tudo — disse o menino. — Cuide das mãos, velho.

— Eu sei como cuidar delas. De noite cuspi uma coisa estranha e pareceu que alguma coisa no meu peito estava com defeito.

— Melhore disso também — falou o menino. — Deite, velho, e vou trazer tua camisa limpa. E alguma coisa pra comer.

— Traga algum jornal desses dias que eu estive fora — disse o velho.

— Você tem que melhorar rápido porque tem muita coisa que eu preciso aprender e você pode me ensinar tudo. Foi muito sofrido?

— Muito — disse o velho.

— Vou trazer a comida e os jornais — disse o menino. — Descanse, velho. Vou trazer algumas coisas da farmácia pras tuas mãos.

— Não esqueça de dizer pro Pedrico que a cabeça é dele.

— Não. Eu vou lembrar.

Ao sair pela porta e começar a percorrer a velha e gasta rua de pedra de corais, o menino estava chorando de novo.

Naquela tarde um grupo de turistas foi ao Terraço e, olhando para a água, entre as latas vazias de cerveja e as barracudas mortas, uma mulher viu uma longa espinha branca com uma cauda imensa na extremidade que se levantava e oscilava com a maré enquanto o vento leste criava ondulações fortes e constantes pouco além da entrada do porto.

— O que é aquilo? — perguntou ela para o garçom e apontou para a longa espinha do grande peixe que agora era mero lixo esperando para ser levado pela maré.

— *Tiburón* — disse o garçom. — Tubarão — repetiu ele. Estava tentando explicar o que tinha acontecido.

— Não sabia que tubarões tinham caudas com formas tão bonitas.

— Nem eu — disse o homem que estava com ela.

Rua acima, na cabana, o velho dormia de novo. Ele continuava dormindo de bruços, e o menino estava sentado ao seu lado, observando. O velho sonhava com os leões.

Este livro foi composto na tipografia
Latienn Pro 11.5/18.
Impresso em papel pólen natural $80g/m^2$
na gráfica Geográfica.

ERNEST HEMINGWAY:
O ESCRITOR QUE FOI ALÉM

Joca Reiners Terron

1.
ÉBRIOS NA BATALHA

Em agosto de 1944, Ernest Hemingway, no auge dos seus 45 anos, já o famoso romancista que receberia o Nobel apenas dez anos depois, aguardava a liberação de Paris do jugo nazista no bosque de Rambouillet, a cerca de 48 quilômetros da capital da França. Lá, hospedava-se com outros homens, integrantes da Resistência Francesa e Aliados, além de seu subordinado Red, do Exército dos Estados Unidos.

O grupo heterogêneo era liderado pelo coronel David K. E. Bruce, chefão do serviço de espionagem estadunidense na Europa durante a Segunda Guerra Mundial, que o definiu assim nos seus diários: "Eram cerca de trinta americanos — oficiais e soldados —, incluindo dois trêbados paraquedistas sem licença, dez sujeitos da Resistência, catorze gendarmes e uma porrada de metralhadoras."

No Hôtel du Grand Veneur, os homens enchiam a cara com qualquer bebida à disposição enquanto aguardavam sob tensão a ordem do alto-comando francês para tomarem a cidade, onde a Resistência levava uma surra dos alemães. Durante o tempo em que ali pernoitaram, Bruce e

Hemingway (que não passava de um jornalista metido a militar) tiveram de autorizar a saída de um agente da Resistência Francesa que deveria assassinar um traidor, além de lhe providenciar o revólver.

A espera parecia inexplicável, até que, em 23 de agosto, chegou a ordem para marcharem em direção a Paris.

No caminho, Hemingway participou de uma ação para liberar os arredores de Versalhes de um comando de artilharia inimigo. Depois de o fazerem, o grupo entrou na cidadezinha de Sèvres sob ovação e aplausos dos habitantes, que os receberam com garrafas cheias nas mãos. Em seu diário, Bruce anotou: "Todos nos empurravam birita. [...] No decorrer da tarde, bebemos cerveja, sidra, Bordeaux branco e tinto, Borgonha branco e tinto, champanhe, rum, uísque, conhaque, Armagnac e Calvados [...] suficientes para destruir a estrutura de qualquer sujeito."

Com a tropa embriagada até a tampa, a entrada em Paris se deu no dia seguinte. Exceto por um ou outro franco-atirador encarapitado no topo dos edifícios, a Cidade Luz parecia intacta. Na altura do Arco do Triunfo, segundo Bruce, um homem convidou Red, Hemingway e ele para beber mais champanhe em seu palacete na luxuosa Avenue Foch. E lá começou o efusivo pileque em comemoração à recuperação da capital, pois o comandante da ocupação alemã, general Dietrich von Choltitz, não atendera às ordens de Hitler de entregar a cidade apenas e impreterivelmente na forma de uma fumegante montanha de cinzas.

A entrada triunfante e etílica do grupo especial culminaria, após farras no Travellers Club — onde lhes serviram o exorbitante champanhe Pol Roger — e a festa da multidão reunida no Café de la Paix na Place de l'Opéra, nos dias míticos vividos no aristocrático Ritz, enclave ocupado pelas forças opositoras ao nazismo, recebidas por Claude Auzello, o próprio gerente do hotel. A temporada no Hôtel Ritz e principalmente no bar do Ritz (que hoje se chama Hemingway Bar) seria relembrada no conto póstumo "A Room on the Garden Side", publicado somente em 2018, com tintas ainda mais exuberantes — no sentido automistificador tão característico dos relatos do mestre estadunidense — que as anotações generosas do coronel Roger em seu diário.

2.

ESTILHAÇOS E PONTOS-FINAIS

Todo o episódio é ilustrativo do papel desempenhado por Hemingway no palco turbulento da literatura do século anterior ao nosso, ou ao menos simbólico de alguns aspectos que elevaram o escritor à condição de um personagem tão complexo. Nascido em Oak Park, Illinois, nos arredores de Chicago, em 21 de julho de 1899, Ernest Miller Hemingway encarnou o espírito beligerante, trágico e boêmio daquele século, na mesma medida funesto e esplendoroso, que nos legou o avião, o barbeador elétrico, a bomba atômica e o aspirador de pó.

De fato, ao longo de sua vida relativamente breve, Hem pareceu personificar todo e qualquer tipo de aventureiro celebrado na literatura, nos quadrinhos e no cinema, do garoto ousado que caçava ao lado de bravos guerreiros ou visitava acampamentos indígenas na companhia do pai médico, presente nos contos iniciais, responsáveis por apresentar seu alter ego mais frequente, Nick Adams, e das pescarias em Walloon Lake, no Michigan de sua infância, ao intrépido repórter nos campos de batalha europeus. Um casanova das trincheiras, pavão do circo das letras e militante da cuba-libre, quase sempre com uma espingarda de cano duplo nas mãos.

Iniciado no jornalismo depois de uma temporada no *Kansas City Star*, em seguida à conclusão do ensino médio, Hemingway se alistou na Cruz Vermelha (após ser dispensado pelo Exército dos Estados Unidos por causa de sua miopia), não tardando a se voluntariar para a ação no front italiano da Primeira Guerra Mundial. Na breve atuação jornalística que não durou seis meses, teve sua primeira lição de contenção por meio do guia de estilo da redação do jornal: "Use frases curtas. Use primeiros parágrafos curtos. Use um inglês vigoroso. Seja positivo, não negativo."

Depois da má recepção familiar de seu romance de estreia *O sol também se levanta* (1926), em parte por causa das passagens licenciosas e dos palavrões (algo que sua mãe, Grace, caracterizou como "lixo"), Ernest tentou explicar numa carta ao pai, Clarence, o que movia sua escrita:

> Dá para perceber que tento transmitir em todas as minhas histórias a sensação da vida real, não apenas para retratar a vida ou criticá-la, mas para torná-la realmente viva. Assim quando se lê algo escrito por mim você realmente experimenta a coisa. Não é possível fazer isso sem incluir o ruim e o feio e também o que é belo. Porque se tudo for bonito, não será possível acreditar naquilo. As coisas não são assim. É somente mostrando os dois lados, três dimensões e, se possível, quatro, que se pode escrever da maneira que eu quero.

Em julho de 1918, ao dirigir uma ambulância em Fossalta di Piave enquanto avançava com tropas italianas pela fronteira da Áustria, Hemingway foi atingido, ao final do sanguinolento confronto, pelos estilhaços de um obus Minenwerfer. A explosão quase aconteceu na sua cara. Quando voltou a si, dois dos três soldados que o acompanhavam jaziam aos pedaços. Reza o mito que ele jogou o terceiro homem, ainda vivo, sobre a maca e o arrastou pelo campo, sendo interceptado pelos tiros de uma metralhadora inimiga. Foi atingido no pé e no joelho esquerdo. Ao tatear a própria perna em meio à escuridão, deitado no solo, descobriu sua rótula caída à altura da tíbia. Ainda assim, ergueu o jovem italiano nos ombros e o levou até o hospital de campanha. Quando foi socorrido, retiraram 237 estilhaços de morteiro apenas de sua perna direita. O soldado italiano morreu em seus braços.

Hemingway tinha apenas 19 anos.

De volta aos Estados Unidos, Ernest foi recebido em Oak Park como herói de guerra e não hesitou em acrescentar muitos pontos às suas aventuras, relatando ao jornal local que servira como soldado no Exército italiano (em vez de na Cruz Vermelha) e fora condecorado pelo rei da Itália, Vítor Emanuel III, em pessoa. Eram os primeiros sinais de seu talento como narrador, mas também da necessidade de aprovação que sentia por parte de sua família (e do mundo), o que o levou à desenfreada mitomania. Todas as manhãs, o jovem Ernest punha seu quepe de feltro da infantaria italiana e saía pelas ruas contando lorotas e colhendo louros.

À traumática experiência no campo de batalha se sucedeu o período em Paris no qual, sob a tutela do escritor Sherwood Anderson (1876-1941) e na companhia de Hadley Richardson, sua primeira esposa (além de uma pequena herança que ela recebera após a morte do pai), Ernest travou amizade com figuras emblemáticas da Geração Perdida do entreguerras, os companheiros de viagem que marcaram sua formação estética e seu aprendizado da escrita deixando máculas indeléveis, influências e ressentimentos tão bem delineados (ou quem sabe expurgados) em *Paris é uma festa*, livro memorialístico publicado em 1964, três anos depois de sua morte. Ao recordar o momento em que se conheceram, Gertrude Stein (ele deu as caras na casa dela com uma carta de recomendação de Anderson em punho) o descreveu assim: "Eu me lembro muito bem da impressão que tive de Hemingway naquela primeira tarde. Era um rapaz extraordinariamente bonito, de 23 anos. Faltava pouco tempo para todo mundo ter 26. Durante os dois ou três anos seguintes todos os rapazes tinham 26 anos. Pelo visto era a idade ideal para a época e o lugar."

No convívio com Ford Madox Ford, Francis Scott Fitzgerald, James Joyce, Ezra Pound e, principalmente, o casal Gertrude Stein e Alice B. Toklas, Hemingway forjou seu estilo taquigráfico, com a marca da escrita direta e sem pompa, avessa ao sentimentalismo ao explorar palavras simples e correntes, além da marcante presença do uso do diálogo como fio condutor das histórias. A influência de Stein, poeta e narradora de vanguarda, mulher com noções bastante idiossincráticas acerca da pontuação (por exemplo, abominava as vírgulas, e dizia que o único ponto incontornável era o ponto final), primeiro admitida e depois diminuída pelo próprio Ernest em *Paris é uma festa*, é notável em seu estilo sutil e sempre à procura de privilegiar a verdade, como ele próprio afirma numa célebre passagem do livro: "Não se aborreça. Você sempre escreveu antes e vai escrever agora. Tudo o que tem a fazer é escrever uma frase verdadeira. Escreva a frase mais verdadeira que puder."

3.
TIROS E TOURADAS AO ENTARDECER

Hemingway assistiu à sua primeira tourada em 1923 ao viajar para a Festa de San Fermín em Pamplona, na Espanha, na companhia de amigos expatriados. Seu fascínio foi imediato e nunca arrefeceu, culminando em *Morte ao entardecer* (1932), livro de não ficção sobre o embate entre vida e morte a partir de sua visão literária e a arte de matar touros. O ensaio é uma grande metáfora acerca do gracioso gesto dos toureiros diante da morte e de como a arena é, para além do campo de batalha e da máquina de escrever, o único lugar onde se torna possível contemplá-la de perto.

O arrebatamento de Hemingway pelas touradas se estendeu à Espanha e às suas diversas províncias, à cultura e, sem dúvida, ao espírito de seu povo, duro e simples.

Da Guerra Civil Espanhola à Segunda Guerra Mundial, entre ser pescador, marinheiro, boxeador, caçador na África, correspondente internacional do *Toronto Star*, jornalista de guerra, vagabundo, boêmio e mulherengo contumaz, de apaixonado a marido erradio, tendo se casado quatro vezes e protagonizado incontáveis casos românticos, a figura pública de Hemingway serviu de tela para a projeção das fantasias de mais de uma geração de homens e mulheres, que o viam como o sujeito certo nas horas certas, mas principalmente nas erradas, nunca se furtando a participar dos episódios históricos mais relevantes do século.

Uma vez jornalista, sempre jornalista. Hemingway foi magnetizado pelos grandes eventos do seu tempo, obrigando-se a testemunhá-los in loco, sempre expondo sua vida ao perigo. Em depoimento, o contista Tobias Wolff comentou a obsessiva procura de Hemingway:

> Quando você pensa no peso que a fama deve ter exercido sobre ele, mesmo quando era jovem, e na ansiedade que isso produziria, aquilo de "Como posso estar à altura disso? Como o próximo livro pode ser melhor? O que há em mim para tornar isso real?". Acho que é muito difícil ser uma pessoa pública assim e, por isso, acho que até mesmo as pessoas públicas criam algum tipo de avatar de si mesmas, algum holograma de si mesmas, para se apresentarem publicamente, para salvar o que quer que seja privado nelas. O problema é que, eventualmente, seu avatar as consumirá.

É lógico que esse tesão pela verdade do vivido e testemunhado também carregava outros sentidos, como o desejo de fuga do dever paterno e conjugal. Cada novo embate propiciou a Ernest uma nova paixão: as frequentes viagens da Geração Perdida pela Europa consolidaram sua separação de Hadley Richardson (1891-1979) e a união com Pauline Pfeiffer (1895-1951); depois, a Guerra Civil Espanhola lhe trouxe Martha Gellhorn (1908-1998), talentosa escritora e jornalista, única a deixá-lo; em seguida, a Segunda Guerra Mundial pôs em seu caminho a correspondente Mary Welsh (1908-1996), derradeira conquista de um marido (adúltero) em série. Mary também seria a responsável por administrar e publicar a obra póstuma de Ernest.

A experiência na Guerra Civil Espanhola, contudo, reencenada em *Por quem os sinos dobram* (1940), abalou as convicções de Hemingway. A violência do confronto, o desequilíbrio de forças entre republicanos e as hostes fascistas de Franco, mas também a própria conflagração em si, espécie de ensaio antecipatório do confronto levado às últimas consequências na Segunda Guerra Mundial pelas forças de Hitler, Mussolini, Stálin e os Aliados, geraram um romance – considerado por parte da crítica sua obra-prima no campo da narrativa longa – notavelmente marcado pelo ceticismo em relação aos propósitos da guerra.

Talvez por esse motivo o escritor tenha hesitado, anos depois, em abandonar sua residência na ensolarada Finca Vigía, em Cuba, e seguir os passos de Martha Gellhorn, então sua companheira, como correspondente na Segunda Guerra. Outra contingência de sua hesitação foi seguir a pescar em paz no comando do barco *Pilar*, ao lado do amigo Gregorio Fuentes, enquanto supostamente patrulhava o litoral cubano atrás de submarinos nazistas. As más e boas línguas – incluindo a de J. Edgar Hoover, que ordenou o FBI que o seguisse –, entretanto, plantaram a suspeita de que Hemingway apenas se aproveitava do combustível financiado pelos cubanos para pescar em águas pacíficas.

Instado por Martha, o velho correspondente de guerra voltou à ação, partindo para Londres em maio de 1944. Aquele ano passado nas trincheiras europeias trouxe a Hemingway novas lendas – como a de que foi o primeiro a entrar em Paris para liberar a cidade dos nazistas –, mas também piadas: a de que a única coisa que liberou de verdade foi o bar do Ritz. No fim, a ida à Segunda Guerra Mundial como correspondente da *Collier's* lhe rendeu duas concussões e uma severa fratura craniana após um acidente de jipe, além do divórcio de Martha Gellhorn. Ernest depois diria a George Plimpton em seu célebre depoimento à *Paris Review* que "ferimentos que causam sérios danos aos ossos e aos nervos não são nada bons para escritores, nem para ninguém".

Com a fama angariada pelo sucesso dos livros e pelos prêmios, Hemingway pouco a pouco passou a ser "Papa" Hemingway. Esse personagem, desenvolvido conscientemente, espécie de avatar final de um colonizador ideal, pôde abrigar fantasias nostálgicas de homens e mulheres ocidentais. Másculo, alto e barbado, "Papa" é o arquétipo do herói de seu tempo, estadunidense, vitorioso e viril, o retrato de uma era que postulava o Grande Homem Americano como salvador do universo. No entanto, nessa figura havia o ranço inevitável da continuidade dos tipos característicos de séculos retrasados, traços de colonizadores adaptados às vestimentas de pioneiros, caçadores, exploradores, caubóis e soldados, além do misógino brutal, do marido em série que roubou corações e mentes do público e, à medida que ingressou no terreno do mito, deixou de ser escritor para ser apenas personagem de si mesmo.

Nas últimas décadas, após longa temporada na geladeira dos departamentos de letras das universidades pautados por questões de gênero e de representação, a imagem do super-homem Hemingway vem passando por nova dissecação crítica, como no criterioso documentário em três episódios dirigido por Ken Burns e Lynn Novick, de 2021. A dupla de documentaristas demole sem dó o mito — autoerigido e também construído pelo público — para deixar ver, enfim, o homem.

E o homem era bem mais contraditório e frágil do que o mito. O maior exemplo, quiçá antifreudiano, está na devoção pelo pai, o depressivo e suicida Clarence, e na relação de intenso ódio por Grace, sua mãe dominadora, cantora de ópera e professora de música, uma mulher transbordante em idiossincrasias. ("Meu pai era muito dedicado à minha mãe", disse Marcelline, irmã mais velha de Ernest. "Mas ela só era dedicada a si mesma.") Até os 3 anos de idade, seguindo o modelo vitoriano, Grace vestiu Marcelline e o pequeno Ernest indistintamente com vestidos e saias. Algo que ele nunca perdoou. O interesse de Hemingway pela androginia teria começado com Grace? Em seu documentário, Burns e Novick revelam que Hemingway fantasiava ser uma garota na cama com sua quarta esposa, Mary Welsh, enquanto ela atuava como um garoto.

Na fase final da vida, surgiram fissuras na carapaça masculina de Hemingway, manifestando seu próprio desconforto com o papel que lhe coube na pantomima social da fixidez de gênero. Em artigo na *New Yorker*, o crítico Hilton Als comentou a herança materna de Ernest:

> Podem-se ver esses experimentos de gênero não só como uma tentativa de Grace de controlar [...] o comportamento, mas também como uma forma

> de ela expressar sua própria natureza dupla: a masculina e a feminina, a assertiva e a adorada. [...] O romance inacabado de Hemingway *O jardim do Éden* gira em torno da ambiguidade sexual. O protagonista do livro, David Bourne, é um jovem escritor que vive na França com sua esposa, Catherine. O casal quer "mudar", desafiar os papéis de gênero e ter um caso com a mesma mulher, mas David fica cada vez mais desconfortável com essa fluidez, assim como Hemingway não se sentia confortável com ela em vida. Uma das seções mais dolorosas de "*Hemingway*" é a descrição que a série documental faz do relacionamento angustiante do autor com a caçula de seus três filhos, Gloria, mulher trans. Talvez Gloria também tenha reconhecido alguns de seus impulsos no pai. Em uma carta furiosa, ela o chamou de "Ernestine".

Antes de sua transição de gênero, Gloria declarou à BBC que a imagem hipermasculina de Ernest era uma maneira de "combater suas inseguranças em relação à própria masculinidade. Ouvi-o dizer centenas de vezes como era difícil ser um homem, um bom homem. Eu não fazia ideia do que ele estava falando".

As questões que têm atualizado o homem em detrimento do mito não cessam por aí. Somados aos ferimentos de guerra, os causados por acidentes numa viagem à África (duas quedas de avião seguidas, nas quais o escritor teve diversas fraturas, inclusive uma craniana, além de rompimento do fígado e dos rins), as tragédias pessoais iniciadas com o suicídio do pai em 1928, acrescidas do alcoolismo e de graves problemas de saúde, levaram Hemingway à depressão. O homem, não o mito, tirou sua própria vida em 2 de julho de 1961, poucos dias antes de completar 62 anos.

A despeito de seu fim violento, da carreira em ritmo de montanha-russa, com momentos tão constrangedores quanto *Do outro lado do rio, entre as árvores* (1950) e a consequente reviravolta literária promovida por *O velho e o mar* (1952) — mais que uma obra-prima, a quintessência de uma vida artística —, é inevitável que toda pessoa, leitora ou não de sua obra, mesmo que inadvertidamente, faça um brinde a Hemingway sempre que degustar um Bloody Mary, drinque criado especialmente para ele no Harry's Bar, em Paris, nos anos 1920. *Cheers!*

4. PARIS É UMA FESTA

Ernest Hemingway mudou-se para Paris em 1921, recém-casado com Hadley Richardson. A cidade, na época, era um vulcão em plena erupção de inovação artística e literária, abrigando uma comunidade internacional de artistas e escritores expatriados, gente de vanguarda, grande parte deles carregando a traumática experiência das trincheiras da Primeira Guerra Mundial. Ernest, então um jovem jornalista e aspirante a escritor, encontrou-se no centro desse borbulhante magma cultural graças à orientação de Sherwood Anderson. O autor de *Winesburg, Ohio* o encaminhou à amiga Gertrude Stein, que operava como epicentro vulcânico da cidade. Fez amizade com figuras literárias como Zelda e F. Scott Fitzgerald, Ezra Pound, John Dos Passos e James Joyce, todos que desempenharam papéis significativos em seu desenvolvimento como escritor.

Paris é uma festa, publicado em 1964, é tanto uma homenagem a Paris, com suas descrições evocativas e nostálgicas da Place de la Contrescarpe e da Rive Gauche, entre outros lugares, da chuva onipotente sobre seus telhados, quanto uma reflexão pessoal sobre os anos formativos de Hemingway como escritor. Publicado postumamente, o livro foi compilado a partir de manuscritos e notas que Hemingway havia deixado para trás nos anos 1920, e que considerava tão perdidos quanto aquela geração. Para seu espanto, os documentos haviam sido preservados no porão do Ritz, voltando às suas mãos de modo inesperado em 1957. A edição original foi organizada por sua esposa Mary, e, em 2009, uma nova edição revisada foi lançada por seu neto, Sean Hemingway, gerando debate sobre a intenção autoral e a fidelidade ao texto original.

O livro é composto por uma série de vinhetas que não seguem uma estrutura linear rígida, dedicadas a amigos e inimigos, a lugares e períodos específicos, mas que juntas pintam um retrato vívido do tempo de Hemingway em Paris. Esse formato fragmentado reflete a natureza episódica da memória, ao sabor das lembranças, além da condição em que o livro foi escrito, na conflituosa maturidade dos transtornos mentais, permitindo a Hemingway explorar alguns aspectos basilares dos primeiros passos de sua vida como escritor naquela época (ele próprio se justifica no prefácio, dizendo que muita coisa foi deixada de lado no livro). Desde as lutas financeiras e aspirações até os encontros com outras figuras literárias, cada capítulo oferece um vislumbre distinto de sua experiência.

O estilo de Hemingway em *Paris é uma festa* é caracteristicamente sucinto e direto, exemplificando a técnica de "prosa de iceberg" que ele aperfeiçoou ao longo da carreira. Essa técnica, na qual a maior parte do significado subjacente é implícita, cria uma profundidade emocional e uma ressonância que são típicas de seu trabalho. A economia de linguagem, combinada com uma atenção meticulosa aos detalhes sensoriais, transporta o leitor para os cafés enfumaçados e cheios de gente, para o calçamento molhado das ruas e para o interior dos escuros apartamentos parisienses.

Vários temas permeiam *Paris é uma festa*, dos mundanos às altas esferas, mas principalmente mundanos, na medida em que reproduzem a visão de escrita de Hemingway, refletindo tanto suas preocupações pessoais quanto os movimentos literários e culturais de seu tempo. Os episódios estão coalhados de referências a revistas de vanguarda, a encontros e divergências. Entre as questões mais proeminentes estão a busca pela autenticidade artística, a camaradagem e o conflito entre os escritores, e a nostalgia melancólica pelo passado. Evidentemente, não faltam gotas de veneno e algum açúcar nos retratos das figuras que entram e saem dessas páginas, às vezes chamuscadas mas também enaltecidas.

Hemingway estava profundamente comprometido com a busca de uma forma pura e honesta de expressão literária. Acreditava na importância da experiência direta e na veracidade da emoção capturada na escrita. Em *Paris é uma festa*, essa busca pela autenticidade é evidente em suas descrições dos desafios e triunfos de seu trabalho. Ele descreve as dificuldades de escrever, as revisões incessantes e a constante luta para encontrar a palavra exata. Essa busca é exemplificada em suas interações com outros escritores, como Gertrude Stein, que se tornou sua mentora, embora suas visões literárias eventualmente divergissem. A *Autobiografia de Alice B. Tokla*s, de autoria de Stein, serve como perfeito contraponto irônico à maneira mesquinha adotada por Hemingway de retratar a musa modernista da Rue de Fleurus nº 27, uma escritora responsável por unir a vanguarda artística parisiense por mais de trinta anos, além de retirar a poeira da prosódia estadunidense.

A *Autobiografia...* é em primeira pessoa, narrada por Alice B. Toklas, uma hábil saída de Stein para falar de si mesma e dos colegas, porém sob o olhar de Alice, conhecida por seu senso de humor e afabilidade. Ao ler as primeiras páginas do manuscrito de *O sol também se levanta,* por exemplo:

> Gertrude Stein gostou bastante dos poemas, eram diretos, mas achou o romance fraco. "Existe um bocado de descrições nisto aqui", comentou, "e descrições não muito felizes. Recomece tudo de novo e concentre-se", aconselhou.

Ou então, ao comentar com Sherwood Anderson a ingratidão e o sucesso crescente de Hemingway após a publicação de seus primeiros livros:

> Gertrude Stein e Sherwood Anderson são engraçadíssimos em relação a Hemingway. A última vez que Sherwood esteve em Paris, os dois conversaram muito a respeito dele [...] Reconheciam que Hemingway se acovardava fácil. Ele é, insistia Gertrude Stein, que nem os barqueiros das chatas do rio Mississippi nas descrições de Mark Twain. Mas que grande livro, concordavam os dois, daria a verdadeira história de Hemingway, não as que ele escreve, mas as confissões do verdadeiro Ernest Hemingway. [...] E aí então ambos concordaram que sentiam uma fraqueza por ele ser tão bom aluno. Mas é um aluno péssimo, protestei. Você não compreende, disseram, como é lisonjeiro ter um aluno que faz os deveres sem entender. [...]

Ou sobre as lições de modernismo aprendidas com ambos:

> Gertrude Stein disse mais, sabe, ele é que nem o Derain. Você se lembra do que Monsieur de Tuille falou? Quando eu não podia compreender por que Derain estava fazendo aquele sucesso todo ele disse que era porque parecia moderno mas cheirava a museu. E o Hemingway é isso, parece moderno e cheira a museu.[1]

Como se vê, a comunidade de escritores expatriados em Paris era tanto colaborativa quanto competitiva. Hemingway detalha suas relações com figuras como F. Scott Fitzgerald, beneficiado em seu retrato de homem acossado pela precoce loucura de Zelda, sua esposa (que, entretanto, não sai tão bem na foto), cuja amizade era marcada por admiração mútua e tensões profundas. A descrição de Fitzgerald em *Paris é uma festa* é notavelmente complexa, revelando tanto sua genialidade literária quanto suas fragilidades pessoais. A famosa cena na qual Hemingway examina no banheiro o pênis de Scott, acossado este que andava pelas acusações de Zelda, é impagável. Essas relações fornecem um contexto rico para entender o combustível criativo e pessoal que turbinou a produção literária de Hemingway e seus contemporâneos.

---

[1] Ambas as citações na tradução de Milton Persson publicada pela L&PM em 1984.

Em contrapartida, há uma corrente de nostalgia melancólica que permeia *Paris é uma festa*. Hemingway escreve com uma clareza e sinceridade que muitas vezes sugerem um lamento pelo que foi perdido. Afinal, o passado comove por já ter acontecido. Não voltará mais. E Hemingway está a par disso. O livro rememora Paris como um lugar de promessa e potencial, um tempo antes das desilusões da vida adulta e dos horrores das guerras subsequentes. Essa qualidade nostálgica não é meramente sentimental; ela é temperada pelo reconhecimento das realidades duras e muitas vezes dolorosas da sua vida e da vida de seus amigos. Afinal, o livro foi escrito sob o influxo das dores da maturidade, das perdas e dos fracassos já consolidados. Sherwood, Scott e Gertrude estavam mortos. Havia chegado o tempo da prestação de contas.

No contexto da obra de Hemingway, *Paris é uma festa* serve como um elo crucial entre suas primeiras obras, como *O sol também se levanta*, *Adeus às armas* e produções posteriores. Ressoa não apenas como testemunho do passado, mas também como uma meditação sobre a arte, a amizade e o próprio ato de recordar. Por meio de suas vinhetas, Hemingway nos convida a compartilhar um tempo e um lugar que foram fundamentais para a formação de sua identidade literária. Situado no contexto da vida e da obra, *Paris é uma festa* revela-se uma peça essencial que ilumina tanto o homem quanto o escritor, capturando a essência de uma era e a busca perpétua por significado e verdade na arte.

5.
POR QUEM OS SINOS DOBRAM

Hemingway trouxe uma nova forma de narrar a experiência humana em tempos de conflito e adversidade. Publicado em 1940, *Por quem os sinos dobram* é um de seus romances mais importantes, oferecendo uma visão profunda sobre a Guerra Civil Espanhola e os dilemas morais enfrentados por aqueles envolvidos no conflito.

A Guerra Civil Espanhola (1936-1939) foi um conflito brutal que antecipou muitos dos horrores da Segunda Guerra Mundial. Hemingway, que trabalhou como correspondente, usou suas experiências como base para o romance. A história centra-se em três dias da vida de Robert Jordan, um professor universitário estadunidense de Montana voluntário nas Brigadas Internacionais, que luta ao lado dos republicanos contra as forças fascistas lideradas por Francisco Franco.

Hemingway começou a trabalhar em *Por quem os sinos dobram* em março de 1939, escrevendo em um quarto alugado no Hotel Ambos Mundos, em Havana, local que lhe permitia um pouco de descanso em relação a Key

West, onde ficara sua então esposa, Pauline Pfeiffer, e que havia se transformado de lugar deprimente em atração turística em apenas alguns anos. O local também deu início à inevitável separação de Pauline e permitiu que ele ficasse com Martha Gellhorn, que o acompanhou na cobertura da Guerra Civil Espanhola. Embora mantivesse seu endereço no Ambos Mundos para manter a aparência de decência, ele e Gellhorn logo alugaram uma casa de fazenda em ruínas, situada no vilarejo de San Francisco de Paula. A casa, conhecida como Finca Vigía, fora construída em 1886 e precisava de muitos reparos, mas Gellhorn se apaixonou pelo mangueiral no quintal e pela enorme paineira na frente, onde cresciam orquídeas e buganvílias em abundância.

Então, Hemingway já havia estabelecido seu estilo literário característico — marcado por uma prosa sovina em adjetivos, diálogos realistas e a exploração contundente dos conflitos internos de seus personagens. *Por quem os sinos dobram* é, entretanto, distinto em sua complexidade temática e no escopo épico de sua narrativa.

Um dos temas centrais em *Por quem os sinos dobram* é o sacrifício. Robert Jordan está ciente de que sua missão — explodir uma ponte crucial para o avanço das tropas fascistas — pode muito bem custar-lhe a vida. Sua aceitação do dever, apesar do medo e da incerteza, é um reflexo da nobreza e do idealismo que Hemingway muitas vezes explorou em seus personagens. A frase que dá título ao romance, retirada do sermão de John Donne na epígrafe, sublinha a ideia de que a morte de qualquer homem afeta a todos, refletindo a interconexão da humanidade.

Quando *Por quem os sinos dobram* ganhou o Gold Medal Award do Limited Editions Club em 1941, Sinclair Lewis, um dos três jurados, resumiu a decisão do júri em um discurso. Ele escreveu que os jurados acreditavam que o romance era o "livro americano publicado nos últimos três anos que tinha mais probabilidade de sobreviver, para ser conhecido daqui a cinquenta anos, ou possivelmente cem".

Lewis também observou que cada jurado (os demais eram Sterling North e Clifton Fadiman) defendera os méritos do romance por motivos totalmente diferentes. “Para um”, escreveu Lewis, “*Por quem os sinos dobram* era uma grande história de amor”. Outro afirmou que era “uma galopante crônica na tradição de *Conto de duas cidades* ou *Ivanhoé*”. E o próprio Lewis argumentou que o romance “poderia ser uma obra-prima, um clássico, porque ali estava uma cristalização da revolução mundial que começou há muito tempo — talvez em 1776, talvez em 1848 — e que não cessará até que o mundo humano tenha sido civilizado ou destruído —, talvez em 1976, talvez em 2848”.

O sacrifício de Jordan é também um comentário sobre a inutilidade e a inevitabilidade da guerra. Ele se sacrifica não apenas por uma causa, mas também por um sentimento de solidariedade humana e pela crença em um mundo melhor. No entanto, o romance não oferece uma visão romantizada do sacrifício. A guerra é retratada em toda a sua brutalidade, e o sacrifício de Jordan é tanto uma escolha pessoal quanto uma consequência das forças históricas que ele não pode controlar.

O relacionamento entre Robert Jordan e Maria, uma jovem espanhola que sofreu terríveis abusos nas mãos dos fascistas, adiciona camadas de complexidade emocional ao romance. O amor entre eles floresce em meio à violência e ao caos, oferecendo um vislumbre de esperança e redenção. Esse amor é, no entanto, ameaçado pela realidade da guerra e pela mortalidade iminente. Hemingway explora a intensidade do amor e do desejo humano em um contexto de desespero e incerteza. A relação entre Jordan e Maria é, em muitos aspectos, uma fuga temporária das brutalidades ao seu redor, mas também serve como lembrete constante da fragilidade da vida. O amor é uma força poderosa, mas não suficiente para afastar a morte ou mudar o curso do destino.

A coragem em face do medo é outro tema recorrente no romance. Robert Jordan, como muitos dos personagens de Hemingway, é um homem de ação que enfrenta o perigo com determinação quase estoica. No entanto, Hemingway não retrata essa coragem como uma ausência de medo, e sim como a capacidade de agir apesar dele.

Os momentos de introspecção de Jordan revelam suas dúvidas e temores mais profundos. Ele questiona a justiça da guerra, o valor de sua missão e a possibilidade de um futuro com Maria. Esses questionamentos humanizam Jordan, tornando-o um personagem tridimensional, cujas ações são impulsionadas por uma combinação de coragem, dever e amor.

Por quem os sinos dobram é notável por sua estrutura narrativa e estilo. Hemingway emprega uma técnica de fluxo de consciência para mergulhar nos pensamentos e nas emoções de Jordan. Esse estilo permite que os leitores se conectem com o protagonista, compreendendo suas motivações e seus dilemas internos.

A linguagem de Hemingway é, como sempre, franca e descarnada de adornos. No entanto, em *Por quem os sinos dobram*, o escritor também se mostra hábil para descrever cenas de ação com vívida intensidade e um andamento quase fílmico. As descrições das paisagens espanholas são evocativas e carregadas de simbolismo, refletindo o estado emocional dos personagens. Em particular, impressiona a pausa temporal nas reflexões e nos diálogos de Jordan entre os capítulos 26 e 27, quando o narrador em terceira pessoa descreve o ataque a El Sordo e seu bando. A lição do tempo circular e comprimido é crucial para o livro, e foi aprendida com T. S. Eliot, que a abordou no poema "Burnt Norton", de *Quatro quartetos*: "O tempo presente e o tempo passado/ Estão ambos talvez presentes no tempo futuro/ E o tempo futuro contido no tempo passado./ Se todo tempo é eternamente presente/ Todo tempo é irredimível." (Tradução de Ivan Junqueira.)

Por quem os sinos dobram representa um ponto culminante na carreira de Hemingway. Embora seus trabalhos anteriores, como *O sol também se levanta* (1926) e *Adeus às armas* (1929), já tivessem estabelecido sua reputação como um dos grandes escritores de sua geração, esse romance expandiu seu alcance temático e demonstrou sua capacidade de abordar questões morais e políticas complexas.

O romance também marca uma evolução na abordagem da guerra como vista por Hemingway. Enquanto *Adeus às armas* é, em grande parte, uma história de amor contra o pano de fundo da Primeira Guerra Mundial, *Por quem os sinos dobram* lida diretamente com as implicações políticas e sociais da Guerra Civil Espanhola. A guerra é um campo de batalha moral onde os personagens lutam não apenas pela sobrevivência, mas também por justiça e liberdade. Nisso, iguala-se a outros libelos nos quais sobressai o pacifismo inerente ao sem sentido da guerra, como *Viagem ao fim da noite* (1932), de Louis-Ferdinand Céline, e *Ardil-22* (1961), de Joseph Heller.

Sinclair Lewis encerrou seu elogio à obra da seguinte forma: "Não é por meio da pregação que as pessoas serão estimuladas à resolução e ao senso comum combativo. Mas quando o leitor, identificando-se com Robert Jordan, sentir de fato o cheiro da luta, então a liberdade poderá se tornar uma atividade pela qual viver, pela qual morrer, e a fraternidade poderá se revelar inevitável."

6.

O VELHO E O MAR

O velho e o mar, publicado em 1952, foi o único título de Ernest Hemingway citado no discurso de nomeação da Academia Sueca de Letras ao lhe conceder o Nobel de Literatura, em 1954. A curta novela sucedeu *Do outro lado do rio, entre as árvores* (1950), romance que lhe trouxe dissabores, em decorrência de sua má recepção pela crítica.

Na década de 1950, Hemingway já era uma figura estabelecida na literatura mundial, graças à popularidade conquistada por *O sol também se levanta* e *Adeus às armas*. No entanto, após a publicação de *Por quem os sinos dobram* em 1940, sua produção literária havia diminuído, e seus trabalhos mais recentes vinham sendo espinafrados por leitores especializados. A morte de seu amigo e editor na Scribner's, Max Perkins (1884-1947), deixou-o sem seu maior interlocutor. *O velho e o mar* marcou a volta por cima de Hemingway, reafirmando seu lugar como um dos grandes escritores do século XX, consagrando-o em definitivo com o Pulitzer e o Nobel, além do enorme êxito comercial.

A novela encapsula muitos dos temas centrais na obra de Hemingway, narrando a luta épica de Santiago, um velho pescador, contra um gigantesco marlim. Ambientada em Cuba, onde o escritor viveu por anos, reflete sua intimidade com a cultura e a paisagem cubanas. Santiago, o protagonista, é um personagem que encarna muitas das qualidades que Hemingway admirava: coragem, determinação e uma profunda conexão com a natureza, além do risco de ir além do limite, de onde já não é possível retornar.

O tema central de *O velho e o mar* é a luta do homem contra as forças naturais. Santiago embarca em uma batalha extenuante contra o peixe, um combate que dura vários dias e noites. Essa luta não é apenas física, mas também simbólica, representando a eterna batalha do ser humano contra as forças incontroláveis da vida. Hemingway retrata Santiago com reverência quase religiosa pela natureza, baseando-o em seu velho amigo Gregorio Fuentes (1897-2002), comandante do *Pilar*, seu barco de pesca. O velho pescador respeita profundamente o marlim, vendo-o não apenas como uma presa, mas como um digno adversário. Essa visão de mútuo respeito entre o homem e o animal reflete a filosofia de Hemingway sobre a interdependência e o equilíbrio do mundo natural.

Santiago é o arquétipo do herói hemingwayano — um homem que enfrenta a adversidade com dignidade e resiliência. Mesmo quando tudo parece perdido, ele continua a lutar, impulsionado por um sentido inabalável de orgulho e dever. Esse estoicismo é uma manifestação do conceito de "graça sob pressão", qualidade que Hemingway explorou ao longo de sua obra. O sofrimento de Santiago é extremo, mas ele nunca se permite ser derrotado espiritualmente. Sua luta contra o marlim é uma metáfora para a condição humana, na qual o valor de uma pessoa é medido não pela vitória, mas pela coragem e dignidade com que enfrenta a derrota.

A dedicação de Hemingway à composição de *O velho e o mar*, escrito em cerca de oito semanas, entre dezembro de 1950 e fevereiro de 1951, também atribui um importante simbolismo à novela. Dois anos antes, a recepção extremamente negativa de *Do outro lado do rio, entre as árvores* deixara o escritor fulo da vida e cético em relação à própria capacidade de escrever algo à altura de sua obra pregressa. Na novela, o marlim caçado incansavelmente por Santiago é perseguido por tubarões. Não é difícil relacionar esses predadores aos críticos, do mesmo modo a resistência do pescador à do velho escritor, lutando contra suas impossibilidades e contra o tempo.

Embora Santiago seja um homem solitário, ele não está isolado. Suas reflexões e seus diálogos internos revelam uma profunda conexão com o mundo ao redor. Ele fala com o mar, com as estrelas e os peixes, encontrando uma espécie de comunhão espiritual com a natureza. Essa solidão acompanhada é uma característica recorrente nos trabalhos de Hemingway (algo semelhante ocorre com Robert Jordan, por exemplo), refletindo sua própria luta com a solidão e a busca por significado.

A relação amistosa de Santiago com o jovem Manolin também destaca a importância da comunidade e da transmissão de conhecimento entre gerações. Embora o velho pescador enfrente o marlim sozinho, ele é fortalecido pelo apoio e pela admiração do garoto. Essa dinâmica mentor-aprendiz adiciona uma camada de profundidade emocional à história, enfatizando a importância dos laços humanos.

O velho e o mar recebeu aclamação significativa da crítica, sendo reconhecido com o prêmio Pulitzer em 1953 e contribuindo para que Hemingway recebesse o Nobel de Literatura em 1954. No entanto, as reações ao longo dos anos têm sido variadas, com elogios exaltados e análises mais rigorosas.

Segundo a crítica do *New York Times*, *O velho e o mar* foi considerado um retorno triunfante para Hemingway, destacando-se por sua simplicidade e profundidade emocional. A análise elogia a obra como "um dos mais finos e mais singelos exemplos da prosa hemingwayana, um retorno à forma clássica do autor".

Entretanto, algumas críticas apontam para a possível idealização da luta de Santiago e a simplicidade quase excessiva do enredo. Em uma análise publicada pelo *The Guardian*, alguns críticos sugerem que o romance, embora poderoso em sua simplicidade, pode ser visto como um tanto esquemático e previsível, com uma simbologia talvez demasiado óbvia.

Em seu depoimento a George Plimpton na *Paris Review*, Hemingway comentou que *O velho e o mar* poderia ter mais de mil páginas:

> [...] e mostrar cada um dos habitantes da vila, todos os processos de como eles ganhavam a vida, nasciam, se criavam, tinham filhos etc. Mas isso já foi feito com perfeição por outros escritores. Quando você escreve, fica limitado por aquilo que já foi bem feito. Então, venho tentando aprender a fazer uma coisa diferente. Primeiro, tento eliminar tudo o que é desnecessário, para transmitir a experiência ao leitor de forma que, depois de ler o texto, este se torne parte de sua experiência e pareça ter acontecido de verdade. É muito difícil de se conseguir, venho trabalhando duro nisso.

As críticas, no entanto, não diminuem o impacto duradouro do romance, que continua a ser lido e a fazer parte de bibliografias escolares. A habilidade de Hemingway em capturar a essência da experiência humana em um formato compacto continua a ser admirada, e *O velho e o mar* permanece um exemplo seminal da narrativa concisa e poderosa do autor.

Esse trabalho também teve um impacto significativo na reputação de Hemingway, consolidando seu legado literário. O reconhecimento crítico e popular que *O velho e o mar* mereceu revitalizou a carreira de Hemingway e confirmou sua habilidade de capturar a essência da experiência humana em suas narrativas.

Ernest Hemingway, em decorrência dos seus problemas de saúde, não compareceu à cerimônia do Nobel. No entanto, enviou sua mensagem aos suecos e ao mundo, afirmando que "escrever, na melhor das hipóteses, é uma vida solitária. Pois [o escritor] faz seu trabalho sozinho e, se for um escritor bom o suficiente, deve enfrentar a eternidade, ou a falta dela, todos os dias".

Hemingway falou sobre a importância, para os escritores, de ir longe demais, estabelecendo inevitável relação com a luta do velho Santiago: "Para um verdadeiro escritor, cada livro deve ser um novo começo, no qual ele tenta novamente algo que está além de sua realização. É por termos tido grandes escritores no passado que um escritor é levado muito além de onde pode ir, até onde ninguém pode mais ajudá-lo."